CONTEMPORÁNEA

Federico García Lorca nació en Fuente Vaqueros (Granada) el 5 de junio de 1898, y murió fusilado en agosto de 1936. Se licenció en Derecho (1923) en la Universidad de Granada, donde también cursó estudios de Filosofía y Letras. En 1919 estuvo en Madrid, en la Residencia de Estudiantes, donde convivió con parte de los que después formarían la Generación del 27. Viajó por Europa y América y, en 1932, dirigió la compañía de teatro «La Barraca». Sus obras más emblemáticas, en poesía, son el *Romancero Gitano* (1927), donde el lirismo andaluz llega a su cumbre y universalidad, y *Poeta en Nueva York* (1940), conjunto de poemas, adscritos a las vanguardias de principios del siglo xx, escritos durante su estancia en la Universidad de Columbia. Entre sus obras dramáticas destacan *Bodas de sangre*, *La casa de Bernarda Alba* y *Yerma*. Con esta colección, DeBols!llo presenta toda la obra publicada o representada en vida del autor andaluz.

Biblioteca

FEDERICO GARCÍA LORCA

Teatro completo, III

Edición y prólogo de
Miguel García-Posada

Ⓛ DeBOLS!LLO

Diseño de la portada: Departamento de diseño de Random
    House Mondadori
Directora de arte: Marta Borrell
Diseñadora: Maria Bergós
Ilustración de la portada: *Soledad Montoya*, de Federico
    García Lorca. VEGAP, Barcelona, 2004

Primera edición: junio, 2004

Printed in Spain – Impreso en España

ISBN: 84-9793-334-6 (vol. 371/6)
Depósito legal: B. 21.762 - 2004

Fotocomposición: Comptex & Ass., S. L.

Impreso en Litografia Rosés, S. A.
Progrés, 54-60. Gavà (Barcelona)

P 833346

NOTA DEL EDITOR

Esta edición recoge la producción esencial de Federico García Lorca, aquella que fue el centro de su actividad creadora y contó con su autorización o con su visto bueno, salvadas algunas y accidentales excepciones. En esa confianza ponemos al alcance del lector *toda la obra* del gran poeta español.

PRÓLOGO

Las tragedias lorquianas

Miguel García-Posada

Con su más audaz teatro, no representado a causa de los mostrencos planteamientos del teatro «comercial», Federico García Lorca decidió, a comienzos de los años treinta, pactar con ese teatro, en concreto con el drama rural marquiniano, que siguió triunfando en esa década después de haber alcanzado el éxito en la anterior: del treinta y uno dató *Fuente escondida*, estrenada por Margarita Xirgu, que corrió también con el papel estelar de *Los julianes*, en 1932. Las habían precedido *Fruto bendito*, *La ermita, la fuente y el río* y *Salvadora*, que estrenó Lola Membrives. La Xirgu y la Membrives participarían también en los grandes éxitos del poeta granadino.

El teatro rural de Marquina se centra en el conflicto amoroso, tiene protagonismo femenino, se desarrolla en el campo, lo sacuden fuertes pasiones sentimentales, y concluye a veces de modo bastante trágico. Todos estos elementos atrajeron a Lorca, que actuó un poco como san Juan de la Cruz con la muy vulgar lírica sacralizadora del garcilasismo: trascendiendo aquellos elementos, apropiándose de los asuntos y motivos que le importaban, dejando atrás el costumbrismo marquiniano y su corto vuelo como poeta dramático, y forjando dos tragedias impares en nuestro teatro desde Calderón; el ciclo galaico de Valle-Inclán tuvo otros modelos, por más que su lenguaje antinaturalista influyera sobre el poeta de Granada. Lenguaje antinaturalista el lorquiano, pero sin color regional.

Lorca posee hasta el exceso una de las cualidades primarias del gran trágico: la impasibilidad para presentar, sin interferirlas, las pasiones que conmueven y arrastran a sus héroes, el *fátum*. La mirada inocente del poeta observa los grandes movimientos y cataclismos que estremecen el alma de los agonistas. La fuerza del instinto (y del destino) lo arrasa todo, como en la tragedia griega, convertido el autor en una suerte de Esquilo redivivo. Criaturas solitarias, sus héroes trágicos aparecen ensimismados, incomunicados con el mundo, presas del destino. Hay, sí, factores sociales gravitando sobre ellos: moral tradicional, costumbres normativas. Pero por sobre todo eso está la fuerza terrible de la naturaleza, que se enseñorea de sus criaturas.

Albergaba el autor un concepto clásico de la tragedia. A propósito de *Yerma* diría que se trataba de «una tragedia con cuatro personajes principales y coros, como han de ser las tragedias». «No hay —añadiría— argumento en *Yerma*. Yo he querido hacer eso: una tragedia pura y simplemente.» Por eso su título anticipa su contenido, como el de *Bodas de sangre*. «Las compañías —declararía en Barcelona, en 1935, cuando la Xirgu interpretó la pieza— bautizan a las obras como "dramas". No se atreven a poner "tragedia".» Él subtituló así —tragedia— su texto.

Su «compromiso comercial» lo condujo, pues, a resultados singulares. El poeta llevó a cabo un esfuerzo que resulta gigantesco si se considera el erial de que partía. El espacio andaluz de las tragedias conecta con el del *Poema del cante jondo* y el *Romancero gitano*. Un espacio mítico, como el de las tragedias griegas, como el de las tragedias shakespeareanas, a mil leguas de todo localismo. «Andalucía del llanto», Andalucía penibética, atravesada por las fuerzas oscuras del amor y la muerte.

BODAS DE SANGRE

En julio de 1928, hojeando el *ABC* en la Residencia de Estudiantes, llamaba el poeta, excitado, la atención de sus amigos sobre la noticia, fechada en Almería, que contaba el trágico desenlace que habían tenido en un cortijo de Níjar unas bodas campesinas. Es el germen de *Bodas de sangre*, que el poeta maduraría durante años hasta plasmarse en el verano del treinta y dos y estrenarse en marzo del treinta y tres.

Sobre el fondo de una tierra castigada por el sol, y en el marco del mundo campesino, dominado por el valor de los campos y el dinero y dividido por trágicas rivalidades –la familia de la Novia y los Félix en la tragedia–, que se prolongan a través del tiempo, se desarrolla la obra. La Madre del Novio es la celosa custodia de la memoria de su linaje y de sus muertos, cuyos enterramientos vigila temiendo que den sepultura junto a sus deudos a un miembro de «la familia de los matadores», porque sería capaz de desenterrarlo. El hijo recibe esa herencia de venganza y rencor. El día de la boda, Leonardo, miembro nada menos que de la familia de los Félix, antiguo novio de la Novia, que lo dejó por su escasa hacienda, la rapta con el consentimiento de ella. «Que yo no tengo la culpa, / que la culpa es de la tierra», dirá Leonardo; y la Novia: «¡Ay qué sinrazón! No quiero / contigo cama ni cena, / y no hay minuto del día / que estar contigo no quiera». Es el amor como una deidad terrible, que hace de los amantes sus víctimas. Bajo los gritos de la Madre, que siente llegada otra vez «la hora de la sangre», el Novio y sus parientes persiguen a la pareja fugitiva. El resultado final será la muerte de ambos hombres, que llorarán la Madre y la Novia, secundadas por un coro de vecinas.

Bodas de sangre, sí; el título lo tomó el autor de la película histórica italiana *Bodas sangrientas*, interpretada por la gran actriz Francesca Bertini, pero lo carga de muchos más significados: bodas de sangre derramada, sexual –la de Leonardo y la Novia–, bodas de amor imposible, bodas de dos novios, Leonardo y el ya marido de la Novia, «los dos hombres del amor»: el ritual funerario por ambos hombres tiene lugar a la vez.

Con sus coros, sus canciones de bodas, sus personajes míticos –la Muerte, los leñadores en la escena del bosque del tercer acto, iluminado también por la Luna–, *Bodas* es la tragedia pura, donde la maldición del tiempo –los linajes contrapuestos– y el error trágico –la Novia y Leonardo no debían nunca haberse separado– cumplen su papel esencial. Cuatro personajes: la Madre, grande como un mito; el Novio, su prolongación; la Novia, pasional; Leonardo, el macho poderoso, el amante frustrado por falta de recursos, quizá el auténtico protagonista trágico, el héroe del amor imposible y capaz de saltar por eso sobre todas las convenciones sociales y condenar a su familia, a su mujer e hijo pequeño, y a la familia del Novio, a un destino atroz.

Estructura cerrada la que presenta la tragedia: el lamento final es el eco de los presentimientos iniciales. En su centro, la boda. Liturgia y sacrificio, ha observado la crítica. Los coros comentan la acción dramática; ésta concluye con un treno. El cuadro último se desarrolla en una «habitación blanca con arcos y gruesos muros». Todo blanco y funerario. «Esta habitación simple –añade el poeta– tendrá un sentido monumental de iglesia». Espacio del funeral, del rito de la muerte. Del aparente realismo inicial pasamos a los espacios del mito: así el bosque, donde se opera el ritual de cielo y tierra. Es en el bosque donde acaece el segundo ceremonial sagrado, el sacrificio, con la intervención de la Luna y la Muerte.

Simbolismo riquísimo el que ofrece la tragedia: así el caballo, mensajero de la muerte; así el funesto color amarillo de la habitación de la casa de la Madre; valga también el color rosa de la habitación de la casa de Leonardo, que remite al niño pequeño y su cuna y a la renovación de la vida que encarna; en esa habitación suena la trágica nana premonitoria del caballo «que no quiso el agua»; está asimismo la Luna corporizada, como la Muerte aparece en forma de Mendiga, etc. Las Muchachas que devanan, en el cierre de la pieza, una madeja roja –la madeja de la sangre– encarnan el viejo mito de las Parcas. El verso suena en los momentos adecuados: coros, canciones, monólogos...

Exhibición del poeta, apoteosis de la prosa bruñida y lacónica. Integración de la música y la pantomima, que alcanza instantes sublimes (así cuando mueren los amantes en el bosque). El poeta acarrea muchos materiales de la tradición (Shakespeare, Lope, Calderón) y del folclore (la nana deriva de otra granadina, el motivo de la madeja es muy antiguo, etc.), pero sobre todos ellos imprime su sello peculiar. Teatro absoluto; como han mostrado recientes descubrimientos, Lorca intervino a fondo sobre su texto en los ensayos hasta alcanzar el punto justo. De hecho, el hermoso treno final, que en cierto momento fue un dúo entre la Novia y la Madre, lo añadió el poeta una vez preparado el libreto. Hay quien se lo ha discutido; pero la terrible imprecación al «cuchillito» marca uno de los momentos más altos de toda la poesía lorquiana.

La obra se estrenó en Nueva York en 1935, con el título de *Bitter Oleander* (Adelfa amarga), y Lorca potenció mucho sus elementos musicales buscando su teatro total. *Bodas* es, sin duda, la más bella de todas las obras dramáticas del autor.

YERMA

El autor escribió *Yerma* en 1933-1934. El estreno se produjo el 29 de diciembre en medio de gran expectación, con ensayo de reventamiento de la función a cargo de elementos de extrema derecha por la presencia en ella de Margarita Xirgu, intérprete de la tragedia y amiga de Azaña en los sombríos momentos de la sublevación de Cataluña y sus secuelas. Pero el éxito de la obra fue grande –conoció un centenar largo de representaciones–, aunque tuviera la enemiga de la prensa conservadora, que le reprochó su crudeza de lenguaje, su paganismo, su visión crítica de la mujer, etc. Fue la definitiva consagración del dramaturgo. Si algunos tenían aún dudas, la tragedia las despejó, como señaló la máxima autoridad de la crítica teatral de la época, Enrique Díez-Canedo. Fue muy pronto traducida al francés. En 1935 la Xirgu la repondría en Barcelona.

El tema de *Yerma* es el de la mujer estéril; sobran todas las especulaciones sobre el marido (si impotente, si onanista, si frígido). Sobre Yerma –éste es el hecho poético– ha caído una maldición fruto de su *error trágico* (noción sustancial) al casarse con un hombre a quien no quería, pero le fue impuesto por su padre. No abundaremos en el tema de la esterilidad, tan decisivo en la obra lorquiana. Sí señalaremos que una obra religiosa de Lope, *La madre de la mejor*, sobre los padres de la Virgen María, presenta en términos turbadores la esterilidad de san Joaquín, un hombre, pues. Lorca conocía sin duda esta pieza, que el ilustre lopista Montesinos recogió de modo fragmentario en su fundamental antología de la poesía lopesca de los años veinte. También leyó *Raquel encadenada*, de Unamuno, sobre el mismo tema y mucho menos lograda, como reconoció el propio Unamuno al felicitar al poeta por su tragedia: «Usted ha escrito la obra que yo hubiera querido escribir». Galdós, admiración permanente de Lorca, también alumbró personajes femeninos trastornados por la maternidad imposible: la María Egipcíaca de *La familia de León Roch*, la Jacinta de *Fortunata*.

La tragedia de la mujer estéril plantea la situación de la mujer estéril en sociedades machistas; aunque aun siendo fuerte esta dimensión social en el texto, resulta secundaria respecto al tema central de la esterilidad, por más que esa lectura «social» se hiciera cuando la obra se estrenó: hubo quienes llegaron a ver en Yerma una alegoría de la España machista por culpa de los poderosos. Con un poco de suerte, Juan el marido y sus hermanas eran la CEDA. El poeta no vio nunca con buenos ojos las interpretaciones politizadas de su obra. La verdad es que si *Bodas* es una tragedia colectiva que afecta a familias enteras, *Yerma* es una tragedia individual, centrada de modo exclusivo en la protagonista.

«Yerma es un carácter que se va desarrollando en el curso de los seis cuadros de que consta la obra», señalaba el propio poeta. Tres años se suceden en la escena que se suman a los dos anteriores a que se levante el telón. A través de ese tiempo madura la tragedia de la protagonista. No hay argumento en sentido estricto. La estructura obedece a moldes esencialmente trágicos: la protagonista (Yerma), el antagonista (Juan, el marido), el amor imposible (Víctor) y la Vieja Pagana, que le ofrece la posibilidad de tener un hijo por cauces extramatrimoniales. Los demás personajes son meros contrapuntos: María, la muchacha embarazada; la Muchacha 2.ª, de moral paganizante; Dolores, la conjuradora, la última esperanza del hijo para Yerma. La honra, la moral cristiana de la protagonista, funciona como motivo dramático: ella tendrá los hijos de su marido o no los tendrá. Aunque su marido y sus cuñadas la vigilen de modo obsesivo, nada apartará a Yerma de su designio. De ahí el tremendo grito final cuando estrangula al marido, malthusiano de cuerpo y alma, que no desea hijos, grito que implica su aceptación del *fátum*: «No os acerquéis, porque he matado a mi hijo. ¡Yo misma he matado a mi hijo!».

Los coros comentan la acción: coro de las lavanderas, que introduce las críticas del pueblo acerca del extraño comportamiento de Yerma, presa de su obsesión; coro de la romería, que es un himno báquico a la busca del macho fecundo, justo lo que Yerma no puede buscar. Yerma es un personaje memorable: Lorca cuida su evolución desde su ternura inicial, cuando todavía la maternidad no es para ella un imposible, hasta la profunda alienación que acaba por poseerla: «Mira que me quedo sola. Como si la luna se buscara ella misma por el cielo»; «cuando paso por lo oscuro del cobertizo mis pasos me suenan a pasos de hombre». Desde el principio incoa a su marido un proceso de culpabilidad, del que quiere desdecirse, pero todo –la fecundidad en torno, la aparición de Víctor, «su» hombre, la actitud economicista del esposo, sólo preocupado por sus tierras– conspira a su favor hasta que llega al asesinato, convertida ya en pura heroína trágica, «Marchita, marchita, pero segura». Lo suyo es «dolor que ya no está en la carne», intensa manera de señalar el abismo en el que está sumida. Grandiosa en su obsesión, acaba convirtiéndose en el símbolo de la tierra, que exige la fecundidad para seguir viva. Lorca inventa para ella un patronímico; existía el yermo, la tierra yerma, pero no «Yerma». El poeta «inventa» desde la primera línea.

La obra repite la riqueza simbólica verbal y teatral de *Bodas*, quizá con más sobriedad, pero así lo exigía su discurso. Lorca integra la materia granadina –la romería de Moclín– en un discurso universal. El verso entra en los coros y en los monólogos de la protagonista, así como en las canciones, con rica polimetría. La pretensión lorquiana de restaurar la tragedia es tan pura que no falta la deuda muy precisa con la tradición: la danza del Macho y la Hembra es un ditirambo dionisiaco.

Nota

Los textos proceden de mi edición de *Obras Completas*, 4 vols., Galaxia Gutenberg-Círculo de Lectores, Barcelona, 1996-1997.

Declaraciones

El poeta García Lorca
y su tragedia «Bodas de sangre»

[...]

–*Dígame Josefina, ¿qué impresión le causó la lectura de* Bodas de sangre?

–*Impresión inolvidable y maravillosa. Hace mucho tiempo, una noche, ya de madrugada, me telefoneó Federico diciéndome que quería leerme su obra. «Ven cuando quieras», fue mi respuesta. «¿Te molestaría ahora mismo?», insistió él. «De ningún modo. Te espero.» Y tirándome de la cama, donde ya reposaba, me dispuse a escuchar la lectura de sus cuadernos. No le voy a decir que me sorprendió la magnificencia de su tragedia. Por ser obra suya, yo esperaba en* Bodas de sangre *todas las bellezas imaginables. Sin embargo, logra García Lorca en esta pieza aciertos tan rotundos, vuela tan alto su genio creador, que, escuchándole, me invadió una emoción tan viva que no pude por menos que prorrumpir en un aplauso cerrado, lo que se dice enteramente rendida a sus gracias. Luego, los ensayos, el estreno felicísimo, y lo demás ya usted lo conoce...*

Ahora es Federico el que habla:

–No más una obra dramática con el martilleo del verso desde la primera a la última escena. La prosa libre y dura puede alcanzar altas jerarquías expresivas, permitiéndonos un desembarazo imposible de lograr dentro de las rigideces de la métrica. Venga en buena hora la poesía en aquellos instantes que la disipación y el frenesí del tema lo exijan. Mas nunca en otro momento. Respondiendo a esta fórmula, vea usted, en *Bodas de sangre*, cómo hasta el cuadro epitalámico el verso no hace su aparición con la intensidad y la anchura debidas, y cómo ya no deja de señorear la escena en el cuadro del bosque y en el que se pone fin a la obra.

–*¿Qué momento le satisface más en* Bodas de sangre, *Federico?*

–Aquel en que intervienen la Luna y la Muerte, como elementos y símbolos de fatalidad. El realismo que preside hasta ese instante la tragedia se quiebra y desaparece para dar paso a la fantasía poética, donde es natural que yo me encuentre como el pez en el agua.

–*Hay otra escena, Federico* –le arguyo–, *que, sin perder su perfil de realidad, puede competir en belleza con esa que me señala.*

–*¿Cuál?*

–*Aquel coro de voces juveniles llamando a la novia al divino momento de sus nupcias. ¿Quiere usted repetirlo?*

Y Federico lee la escena que transcribimos a continuación:

> MUCHACHA 1.ª *(Entrando.)*
> Despierte la novia
> [...]
> CRIADA.
> ¡Como un toro, la boda
> levantándose está!

Salud, amigo mío. Josefina Díaz de Artigas, salud y un poco de alegría para esos ojos bellísimos, hartos de llorar el bien perdido. Tendamos todos los lienzos de púrpura para esta musa gitana y granadina de Federico García Lorca, que con la frente cuajada de mirtos líricos, acaba de ceñir sobre ellos la áurea diadema de lo dramático, tan necesitada de acentos nuevos y de claras gracias inéditas. Salud, Josefina. Un abrazo muy fuerte, amigo mío.

Pedro Massa
9 de abril de 1933

Bodas de sangre

Tragedia en tres actos y siete cuadros

Personajes

LA MADRE
LA NOVIA
LA SUEGRA
LA MUJER DE LEONARDO
LA CRIADA
LA VECINA
MUCHACHAS
LEONARDO
EL NOVIO
EL PADRE DE LA NOVIA
LA LUNA
LA MUERTE (como mendiga)
LEÑADORES
MOZOS

Acto primero

Habitación pintada de amarillo.

NOVIO. *(Entrando.)* Madre.

MADRE. ¿Qué?

NOVIO. Me voy.

MADRE. ¿Adónde?

NOVIO. A la viña. *(Va a salir.)*

MADRE. Espera.

NOVIO. ¿Quiere algo?

MADRE. Hijo, el almuerzo.

NOVIO. Déjelo. Comeré uvas. Déme la navaja.

MADRE. ¿Para qué?

NOVIO. *(Riendo.)* Para cortarlas.

MADRE. *(Entre dientes y buscándola.)* La navaja, la navaja...
Maldita sean todas y el bribón que las inventó.

NOVIO. Vamos a otro asunto.

MADRE. Y las escopetas y las pistolas y el cuchillo más pequeño, y hasta las azadas y los bieldos de la era.

NOVIO. Bueno.

MADRE. Todo lo que puede cortar el cuerpo de un hombre.
Un hombre hermoso, con su flor en la boca, que sale a las
viñas o va a sus olivos propios, porque son de él, hereda-
dos...

NOVIO. *(Bajando la cabeza.)* Calle usted.

MADRE. ... y ese hombre no vuelve. O si vuelve es para po-
nerle una palma encima o un plato de sal gorda para que no
se hinche. No sé cómo te atreves a llevar una navaja en tu
cuerpo, ni cómo yo dejo a la serpiente dentro del arcón.

NOVIO. ¿Está bueno ya?

MADRE. Cien años que yo viviera, no hablaría de otra cosa. Primero tu padre; que me olía a clavel y lo disfruté tres años escasos. Luego tu hermano. ¿Y es justo y puede ser que una cosa pequeña como una pistola o una navaja pueda acabar con un hombre, que es un toro? No callaría nunca. Pasan los meses y la desesperación me pica en los ojos y hasta en las puntas del pelo.

NOVIO. *(Fuerte.)* ¿Vamos a acabar?

MADRE. No. No vamos a acabar. ¿Me puede alguien traer a tu padre? ¿Y a tu hermano? Y luego el presidio. ¿Qué es el presidio? ¡Allí comen, allí fuman, allí tocan los instrumentos! Mis muertos llenos de hierba, sin hablar, hechos polvo; dos hombres que eran dos geranios... Los matadores, en presidio, frescos, viendo los montes...

NOVIO. ¿Es que quiere usted que los mate?

MADRE. No... Si hablo es porque... ¿Cómo no voy a hablar viéndote salir por esa puerta? Es que no me gusta que lleves navaja. Es que... que no quisiera que salieras al campo.

NOVIO. *(Riendo.)* ¡Vamos!

MADRE. Que me gustaría que fueras una mujer. No te irías al arroyo ahora y bordaríamos las dos cenefas y perritos de lana.

NOVIO. *(Coge de un brazo a la Madre y ríe.)* Madre, ¿y si yo la llevara conmigo a las viñas?

MADRE. ¿Qué hace en las viñas una vieja? ¿Me ibas a meter debajo de los pámpanos?

NOVIO. *(Levantándola en sus brazos.)* Vieja, revieja, requetevieja.

MADRE. Tu padre sí que me llevaba. Eso es buena casta. Sangre. Tu abuelo dejó un hijo en cada esquina. Eso me gusta. Los hombres, hombres; el trigo, trigo.

NOVIO. ¿Y yo, madre?

MADRE. ¿Tú, qué?

NOVIO. ¿Necesito decírselo otra vez?

MADRE. *(Seria.)* ¡Ah!

NOVIO. ¿Es que le parece mal?

MADRE. No.

NOVIO. ¿Entonces?...

MADRE. No lo sé yo misma. Así, de pronto, siempre me sorprende. Yo sé que la muchacha es buena. ¿Verdad que sí? Modosa. Trabajadora. Amasa su pan y cose sus faldas, y siento sin embargo cuando la nombro, como si me dieran una pedrada en la frente.

NOVIO. Tonterías.

MADRE. Más que tonterías. Es que me quedo sola. Ya no me quedas más que tú y siento que te vayas.

NOVIO. Pero usted vendrá con nosotros.

MADRE. No. Yo no puedo dejar aquí solos a tu padre y a tu hermano. Tengo que ir todas las mañanas, y si me voy es fácil que muera uno de los Félix, uno de la familia de los matadores, y lo entierren al lado. ¡Y eso sí que no! ¡Ca! ¡Eso sí que no! Porque con las uñas los desentierro y yo sola los machaco contra la tapia.

NOVIO. *(Fuerte.)* Vuelta otra vez.

MADRE. Perdóname. *(Pausa.)* ¿Cuánto tiempo llevas en relaciones?

NOVIO. Tres años. Ya pude comprar la viña.

MADRE. Tres años. ¿Ella tuvo un novio, no?

NOVIO. No sé. Creo que no. Las muchachas tienen que mirar con quién se casan.

MADRE. Sí. Yo no miré a nadie. Miré a tu padre, y cuando lo mataron miré a la pared de enfrente. Una mujer con un hombre, y ya está.

NOVIO. Usted sabe que mi novia es buena.

MADRE. No lo dudo. De todos modos siento no saber cómo fue su madre.

NOVIO. ¿Qué más da?

MADRE. *(Mirándolo.)* Hijo.

NOVIO. ¿Qué quiere usted?

MADRE. ¡Qué es verdad! ¡Que tienes razón! ¿Cuándo quieres que la pida?

NOVIO. *(Alegre.)* ¿Le parece bien el domingo?

MADRE. *(Seria.)* Le llevaré los pendientes de azófar, que son antiguos, y tú le compras...

NOVIO. Usted entiende más...

MADRE. Le compras unas medias caladas, y para ti dos trajes... ¡Tres! ¡No te tengo más que a ti!

NOVIO. Me voy. Mañana iré a verla.

MADRE. Sí, sí, y a ver si me alegras con seis nietos, o los que te dé la gana, ya que tu padre no tuvo lugar de hacérmelos a mí.

NOVIO. El primero para usted.

MADRE. Sí, pero que haya niñas. Que yo quiero bordar y hacer encaje y estar tranquila.

NOVIO. Estoy seguro que usted querrá a mi novia.

MADRE. La querré. *(Se dirige a besarlo y reacciona.)* Anda, ya estás muy grande para besos. Se los das a tu mujer. *(Pausa. Aparte.)* Cuando lo sea.

NOVIO. Me voy.

MADRE. Que caves bien la parte del molinillo, que la tienes descuidada.

NOVIO. ¡Lo dicho!

MADRE. Anda con Dios. *(Vase el Novio. La Madre queda sentada de espaldas a la puerta. Aparece en la puerta una Vecina vestida de color oscuro, con pañuelo a la cabeza.)* Pasa.

VECINA. ¿Cómo estás?

MADRE. Ya ves.

VECINA. Yo bajé a la tienda y vine a verte. ¡Vivimos tan lejos!

MADRE. Hace veinte años que no he subido a lo alto de la calle.

VECINA. Tú estás bien.

MADRE. ¿Lo crees?

VECINA. Las cosas pasan. Hace dos días trajeron al hijo de mi vecina con los dos brazos cortados por la máquina. *(Se sienta.)*

MADRE. ¿A Rafael?

VECINA. Sí. Y allí lo tienes. Muchas veces pienso que tu hijo y el mío están mejor donde están, dormidos, descansando, que no expuestos a quedarse inútiles.

MADRE. Calla. Todo eso son invenciones, pero no consuelos.

VECINA. ¡Ay!

MADRE. ¡Ay! *(Pausa.)*

VECINA. *(Triste.)* ¿Y tu hijo?

MADRE. Salió.

VECINA. ¡Al fin compró la viña!

MADRE. Tuvo suerte.

VECINA. Ahora se casará.

MADRE. *(Como despertando y acercando su silla a la silla de la Vecina.)* Oye.

VECINA. *(En plan confidencial.)* Dime.

MADRE. ¿Tú conoces a la novia de mi hijo?

VECINA. ¡Buena muchacha!

MADRE. Sí, pero...

VECINA. Pero quien la conozca a fondo no hay nadie. Vive sola con su padre allí, tan lejos, a diez leguas de la casa más cerca. Pero es buena. Acostumbrada a la soledad.

MADRE. ¿Y su madre?

VECINA. A su madre la conocí. Hermosa. Le relucía la cara como a un santo; pero a mí no me gustó nunca. No quería a su marido.

MADRE. *(Fuerte.)* Pero ¡cuántas cosas sabéis las gentes!

VECINA. Perdona. No quise ofender; pero es verdad. Ahora; si fue decente o no, nadie lo dijo. De esto no se ha hablado. Ella era orgullosa.

MADRE. ¡Siempre igual!

VECINA. Tú me preguntaste.

MADRE. Es que quisiera que ni a la viva ni a la muerta las conociera nadie. Que fueran como dos cardos, que ninguna persona les nombra y pinchan si llega el momento.

VECINA. Tienes razón. Tu hijo vale mucho.

MADRE. Vale. Por eso lo cuido. A mí me habían dicho que la muchacha tuvo novio hace tiempo.

VECINA. Tendría ella quince años. Él se casó ya hace dos años con una prima de ella, por cierto. Nadie se acuerda del noviazgo.

MADRE. ¿Cómo te acuerdas tú?

VECINA. ¡Me haces unas preguntas!

MADRE. A cada uno le gusta enterarse de lo que le duele. ¿Quién fue el novio?

VECINA. Leonardo.

MADRE. ¿Qué Leonardo?

VECINA. Leonardo el de los Félix.

MADRE. *(Levantándose.)* ¡De los Félix!

VECINA. Mujer, ¿qué culpa tiene Leonardo de nada? Él tenía ocho años cuando las cuestiones.

MADRE. Es verdad... Pero oigo eso de Félix y es lo mismo *(Entre dientes.)* Félix que llenárseme de cieno la boca *(Escupe.)* y tengo que escupir, tengo que escupir por no matar.

VECINA. Repórtate; ¿qué sacas con eso?

MADRE. Nada. Pero tú lo comprendes.

VECINA. No te opongas a la felicidad de tu hijo. No le digas nada. Tú estás vieja. Yo también. A ti y a mí nos toca callar.

MADRE. No le diré nada.

VECINA. *(Besándola.)* Nada.

MADRE. *(Serena.)* ¡Las cosas!...

VECINA. Me voy, que pronto llegará mi gente del campo.

MADRE. ¿Has visto que día de calor?

VECINA. Iban negros los chiquillos que llevan el agua a los segadores. Adiós, mujer.

MADRE. Adiós.

> *(La Madre se dirige a la puerta de la izquierda. En medio del camino se detiene y lentamente se santigua.)*

Telón

CUADRO II

Habitación pintada de rosa con cobres y ramos de flores populares. En el centro, una mesa con mantel. Es la mañana.

> *(Suegra de Leonardo con un niño en brazos. Lo mece. La Mujer, en la otra esquina, hace punto de media.)*

SUEGRA.

> Nana, niño, nana
> del caballo grande

que no quiso el agua.
El agua era negra
dentro de las ramas.
Cuando llega al puente
se detiene y canta.
¿Quién dirá, mi niño,
lo que tiene el agua,
con su larga cola
por su verde sala?

MUJER. *(Bajo.)*

Duérmete, clavel,
que el caballo no quiere beber.

SUEGRA.

Duérmete, rosal,
que el caballo se pone a llorar.
Las patas heridas,
las crines heladas,
dentro de los ojos
un puñal de plata.
Bajaban al río.
¡Ay, cómo bajaban!
La sangre corría
más fuerte que el agua.

MUJER.

Duérmete, clavel,
que el caballo no quiere beber.

SUEGRA.

Duérmete, rosal,
que el caballo se pone a llorar.

MUJER.

No quiso tocar
la orilla mojada,
su belfo caliente
con moscas de plata.
A los montes duros
solo relinchaba
con el río muerto
sobre la garganta.

        ¡Ay, caballo grande
        que no quiso el agua!
        ¡Ay dolor de nieve,
        caballo del alba!

SUEGRA.

        ¡No vengas! Deténte,
        cierra la ventana
        con ramas de sueños
        y sueño de ramas.

MUJER.

        Mi niño se duerme.

SUEGRA.

        Mi niño se calla.

MUJER.

        Caballo, mi niño
        tiene una almohada.

SUEGRA.

        Su cuna de acero.

MUJER.

        Su colcha de holanda.

SUEGRA.

        Nana, niño, nana.

MUJER.

        ¡Ay caballo grande
        que no quiso el agua!

SUEGRA.

        ¡No vengas, no entres!
        Vete a la montaña.
        Por los valles grises
        donde está la jaca.

MUJER. *(Mirando.)*

        Mi niño se duerme.

SUEGRA.

        Mi niño descansa.

MUJER. *(Bajito.)*

        Duérmete, clavel,
        que el caballo no quiere beber.

SUEGRA. *(Levantándose y muy bajito.)*
      Duérmete, rosal,
      que el caballo se pone a llorar.

(Entran al niño. Entra Leonardo.)

LEONARDO. ¿Y el niño?

MUJER. Se durmió.

LEONARDO. Ayer no estuvo bien. Lloró por la noche.

MUJER. *(Alegre.)* Hoy está como una dalia. ¿Y tú? ¿Fuiste a casa del herrador?

LEONARDO. De allí vengo. ¿Querrás creer? Llevo más de dos meses poniendo herraduras nuevas al caballo y siempre se le caen. Por lo visto se las arranca con las piedras.

MUJER. ¿Y no será que lo usas mucho?

LEONARDO. No. Casi no lo utilizo.

MUJER. Ayer me dijeron las vecinas que te habían visto al límite de los llanos.

LEONARDO. ¿Quién lo dijo?

MUJER. Las mujeres que cogen las alcaparras. Por cierto que me sorprendió. ¿Eras tú?

LEONARDO. No. ¿Qué iba a hacer yo allí, en aquel secano?

MUJER. Eso dije. Pero el caballo estaba reventando de sudar.

LEONARDO. ¿Lo viste tú?

MUJER. No. Mi madre.

LEONARDO. ¿Está con el niño?

MUJER. Sí. ¿Quieres un refresco de limón?

LEONARDO. Con el agua bien fría.

MUJER. ¡Cómo no viniste a comer!...

LEONARDO. Estuve con los medidores del trigo. Siempre entretienen.

MUJER. *(Haciendo el refresco y muy tierna.)* ¿Y lo pagan a buen precio?

LEONARDO. El justo.

MUJER. Me hace falta un vestido y al niño una gorra con lazos.

LEONARDO. *(Levantándose.)* Voy a verlo.

MUJER. Ten cuidado, que está dormido.

SUEGRA. *(Saliendo.)* Pero ¿quién da esas carreras al caballo? Está abajo tendido, con los ojos desorbitados como si llegara del fin del mundo.

LEONARDO. *(Agrio.)* Yo.

SUEGRA. Perdona; tuyo es.

MUJER. *(Tímida.)* Estuvo con los medidores del trigo.

SUEGRA. Por mí, que reviente. *(Se sienta. Pausa.)*

MUJER. El refresco. ¿Está frío?

LEONARDO. Sí.

MUJER. ¿Sabes que piden a mi prima?

LEONARDO. ¿Cuándo?

MUJER. Mañana. La boda será dentro de un mes. Espero que vendrán a invitarnos.

LEONARDO. *(Serio.)* No sé.

SUEGRA. La madre de él creo que no estaba muy satisfecha con el casamiento.

LEONARDO. Y quizá tenga razón. Ella es de cuidado.

MUJER. No me gusta que penséis mal de una buena muchacha.

SUEGRA. Pero cuando dice eso es porque la conoce. ¿No ves que fue tres años novia suya? *(Con intención.)*

LEONARDO. Pero la dejé. *(A su Mujer.)* ¿Vas a llorar ahora? ¡Quita! *(La aparta bruscamente las manos de la cara.)* Vamos a ver al niño.

> *(Entran abrazados. Aparece la Muchacha, alegre. Entra corriendo.)*

MUCHACHA. Señora.

SUEGRA. ¿Qué pasa?

MUCHACHA. Llegó el novio a la tienda y ha comprado todo lo mejor que había.

SUEGRA. ¿Vino solo?

MUCHACHA. No, con su madre. Seria, alta. *(La imita.)* Pero ¡qué lujo!

SUEGRA. Ellos tienen dinero.

MUCHACHA. ¡Y compraron unas medias caladas! ¡Ay, qué medias! ¡El sueño de las mujeres en medias! Mire usted:

una golondrina aquí *(Señala al tobillo.)*, un barco aquí *(Señala la pantorrilla.)*, y aquí una rosa. *(Señala al muslo.)*

SUEGRA. ¡Niña!

MUCHACHA. ¡Una rosa con las semillas y el tallo! ¡Ay! ¡Todo en seda!

SUEGRA. Se van a juntar dos buenos capitales.

(Aparecen Leonardo y su Mujer.)

MUCHACHA. Vengo a deciros lo que están comprando.

LEONARDO. *(Fuerte.)* No nos importa.

MUJER. Déjala.

SUEGRA. Leonardo, no es para tanto.

MUCHACHA. Usted dispense. *(Se va llorando.)*

SUEGRA. ¿Qué necesidad tienes de ponerte a mal con las gentes?

LEONARDO. No le he preguntado su opinión. *(Se sienta.)*

SUEGRA. Está bien. *(Pausa.)*

MUJER. *(A Leonardo.)* ¿Qué te pasa? ¿Qué idea te bulle por dentro de la cabeza? No me dejes así, sin saber nada...

LEONARDO. Quita.

MUJER. No. Quiero que me mires y me lo digas.

LEONARDO. Déjame. *(Se levanta.)*

MUJER. ¿Adónde vas, hijo?

LEONARDO. *(Agrio.)* ¿Te puedes callar?

SUEGRA. *(Enérgica a su Hija.)* ¡Cállate! *(Sale Leonardo.)* ¡El niño!

(Entra y vuelve a salir con él en brazos. La Mujer ha permanecido de pie, inmóvil.)

Las patas heridas,
las crines heladas,
dentro de los ojos
un puñal de plata.
Bajaban al río.
¡Ay, cómo bajaban!
La sangre corría
más fuerte que el agua.

MUJER. *(Volviéndose lentamente y como soñando.)*
>   Duérmete, clavel,
>   que el caballo se pone a beber.

SUEGRA.
>   Duérmete, rosal,
>   que el caballo se pone a llorar.

MUJER.
>   Nana, niño, nana.

SUEGRA.
>   ¡Ay caballo grande,
>   que no quiso el agua!

MUJER. *(Dramática.)*
>   ¡No vengas, no entres!
>   ¡Vete a la montaña!
>   ¡Ay dolor de nieve,
>   caballo del alba!

SUEGRA. *(Llorando.)*
>   Mi niño se duerme...

MUJER. *(Llorando y acercándose lentamente.)*
>   Mi niño descansa...

SUEGRA.
>   Duérmete, clavel,
>   que el caballo no quiere beber.

MUJER. *(Llorando y apoyándose sobre la mesa.)*
>   Duérmete, rosal,
>   que el caballo se pone a llorar.

Telón

CUADRO III

Interior de la cueva donde vive la Novia. Al fondo, una cruz de grandes flores rosa. Las puertas redondas con cortinas de encaje y lazo rosa. Por las paredes de material blanco y duro, abanicos redondos, jarros azules y pequeños espejos.

CRIADA. Pasen... *(Muy afable, llena de hipocresía humilde. Entran el Novio y su Madre. La Madre viste de raso negro y lleva mantilla de encaje. El Novio, de pana negra con gran cadena de oro.)* ¿Se quieren sentar? Ahora vienen. *(Sale.)*

> *(Quedan Madre e Hijo sentados inmóviles como estatuas. Pausa larga.)*

MADRE. ¿Traes el reloj?

NOVIO. Sí. *(Lo saca y lo mira.)*

MADRE. Tenemos que volver a tiempo. ¡Qué lejos vive esta gente!

NOVIO. Pero estas tierras son buenas.

MADRE. Buenas; pero demasiado solas. Cuatro horas de camino y ni una casa ni un árbol.

NOVIO. Éstos son los secanos.

MADRE. Tu padre los hubiera cubierto de árboles.

NOVIO. ¿Sin agua?

MADRE. Ya la hubiera buscado. Los tres años que estuvo casado conmigo, plantó diez cerezos. *(Haciendo memoria.)* Los tres nogales del molino, toda una viña y una planta que se llama Júpiter, que da flores encarnadas, y se secó. *(Pausa.)*

NOVIO. *(Por la Novia.)* Debe estar vistiéndose.

> *(Entra el Padre de la Novia. Es anciano, con el cabello blanco reluciente. Lleva la cabeza inclinada. La Madre y el Novio se levantan y se dan las manos en silencio.)*

PADRE. ¿Mucho tiempo de viaje?

MADRE. Cuatro horas. *(Se sientan.)*

PADRE. Habéis venido por el camino más largo.

MADRE. Yo estoy ya vieja para andar por las terreras del río.

NOVIO. Se marea. *(Pausa.)*

PADRE. Buena cosecha de esparto.

NOVIO. Buena de verdad.

PADRE. En mi tiempo, ni esparto daba esta tierra. Ha sido necesario castigarla y hasta llorarla, para que nos dé algo provechoso.

MADRE. Pero ahora da. No te quejes. Yo no vengo a pedirte nada.

PADRE. *(Sonriendo.)* Tú eres más rica que yo. Las viñas valen un capital. Cada pámpano una moneda de plata. Lo que siento es que las tierras... ¿entiendes?... estén separadas. A mí me gusta todo junto. Una espina tengo en el corazón, y es la huertecilla esa metida entre mis tierras, que no me quieren vender por todo el oro del mundo.

NOVIO. Eso pasa siempre.

PADRE. Si pudiéramos con veinte pares de bueyes traer tus viñas aquí y ponerlas en la ladera. ¡Qué alegría!...

MADRE. ¿Para qué?

PADRE. Lo mío es de ella y lo tuyo de él. Por eso. Para verlo todo junto, ¡que junto es una hermosura!

NOVIO. Y sería menos trabajo.

MADRE. Cuando yo me muera, vendéis aquello y compráis aquí al lado.

PADRE. Vender, ¡vender! ¡Bah!; comprar, hija, comprarlo todo. Si yo hubiera tenido hijos hubiera comprado todo este monte hasta la parte del arroyo. Porque no es buena tierra; pero con brazos se la hace buena, y como no pasa gente no te roban los frutos y puedes dormir tranquilo. *(Pausa.)*

MADRE. Tú sabes a lo que vengo.

PADRE. Sí.

MADRE. ¿Y qué?

PADRE. Me parece bien. Ellos lo han hablado.

MADRE. Mi hijo tiene y puede.

PADRE. Mi hija también.

MADRE. Mi hijo es hermoso. No ha conocido mujer. La honra más limpia que una sábana puesta al sol.

PADRE. Qué te digo de la mía. Hace las migas a las tres, cuando el lucero. No habla nunca; suave como la lana, borda toda clase de bordados y puede cortar una maroma con los dientes.

MADRE. Dios bendiga su casa.

PADRE. Que Dios la bendiga.

> *(Aparece la Criada con dos bandejas. Una con copas y la otra con dulces.)*

MADRE. *(Al Hijo.)* ¿Cuándo queréis la boda?

NOVIO. El jueves próximo.

PADRE. Día en que ella cumple veintidós años justos.

MADRE. ¡Veintidós años! Esa edad tendría mi hijo mayor si viviera. Que viviría caliente y macho como era, si los hombres no hubieran inventado las navajas.

PADRE. En eso no hay que pensar.

MADRE. Cada minuto. Métete la mano en el pecho.

PADRE. Entonces el jueves. ¿No es así?

NOVIO. Así es.

PADRE. Los novios y nosotros iremos en coche hasta la iglesia, que está muy lejos, y el acompañamiento en los carros y en las caballerías que traigan.

MADRE. Conformes.

> *(Pasa la Criada.)*

PADRE. Dile que ya puede entrar. *(A la Madre.)* Celebraré mucho que te guste.

> *(Aparece la Novia. Trae las manos caídas en actitud modesta y la cabeza baja.)*

MADRE. Acércate. ¿Estás contenta?

NOVIA. Sí, señora.

PADRE. No debes estar seria. Al fin y al cabo ella va a ser tu madre.

NOVIA. Estoy contenta. Cuando he dado el sí es porque quiero darlo.

MADRE. Naturalmente. *(Le coge la barbilla.)* Mírame.

PADRE. Se parece en todo a mi mujer.

MADRE. ¿Sí? ¡Qué hermoso mirar! ¿Tú sabes lo que es casarse, criatura?

NOVIA. _(Seria.)_ Lo sé.

MADRE. Un hombre, unos hijos y una pared de dos varas de ancha para todo lo demás.

NOVIO. ¿Es que hace falta otra cosa?

MADRE. No. Que vivan todos, ¡eso! ¡Que vivan!

NOVIA. Yo sabré cumplir.

MADRE. Aquí tienes unos regalos.

NOVIA. Gracias.

PADRE. ¿No tomamos algo?

MADRE. Yo no quiero. _(Al Novio.)_ ¿Y tú?

NOVIO. Tomaré. _(Toma un dulce. La Novia toma otro.)_

PADRE. _(Al Novio.)_ ¿Vino?

MADRE. No lo prueba.

PADRE. ¡Mejor! _(Pausa. Todos están en pie.)_

NOVIO. _(A la Novia.)_ Mañana vendré.

NOVIA. ¿A qué hora?

NOVIO. A las cinco.

NOVIA. Yo te espero.

NOVIO. Cuando me voy de tu lado siento un despego grande y así como un nudo en la garganta.

NOVIA. Cuando seas mi marido ya no lo tendrás.

NOVIO. Eso digo yo.

MADRE. Vamos. El sol no espera. _(Al Padre.)_ ¿Conformes en todo?

PADRE. Conformes.

MADRE. _(A la Criada.)_ Adiós, mujer.

CRIADA. Vayan ustedes con Dios.

> _(La Madre besa a la Novia y van saliendo en silencio.)_

MADRE. _(En la puerta.)_ Adiós, hija. _(La Novia contesta con la mano.)_

PADRE. Yo salgo con vosotros. _(Salen.)_

CRIADA. Que reviento por ver los regalos.

NOVIA. _(Agria.)_ Quita.

CRIADA. Ay, niña, enséñamelos.

NOVIA. No quiero.

CRIADA. Siquiera las medias. Dicen que son todas caladas. ¡Mujer!

NOVIA. ¡Ea, que no!

CRIADA. Por Dios. Está bien. Parece como si no tuvieras ganas de casarte.

NOVIA. *(Mordiéndose la mano con rabia.)* ¡Ay!

CRIADA. Niña, hija, ¿qué te pasa? ¿Sientes dejar tu vida de reina? No pienses en cosas agrias. ¿Tienes motivo? Ninguno. Vamos a ver los regalos. *(Coge la caja.)*

NOVIA. *(Cogiéndola de la muñecas.)* Suelta.

CRIADA. ¡Ay, mujer!

NOVIA. Suelta he dicho.

CRIADA. Tienes más fuerza que un hombre.

NOVIA. ¿No he hecho yo trabajos de hombre? ¡Ojalá fuera!

CRIADA. ¡No hables así!

NOVIA. Calla he dicho. Hablemos de otro asunto.

> *(La luz va desapareciendo de la escena. Pausa larga.)*

CRIADA. ¿Sentiste anoche un caballo?

NOVIA. ¿A qué hora?

CRIADA. A las tres.

NOVIA. Sería un caballo suelto de la manada.

CRIADA. No. Llevaba jinete.

NOVIA. ¿Por qué lo sabes?

CRIADA. Porque lo vi. Estuvo parado en tu ventana. Me chocó mucho.

NOVIA. ¿No sería mi novio? Algunas veces ha pasado a esas horas.

CRIADA. No.

NOVIA. ¿Tú le viste?

CRIADA. Sí.

NOVIA. ¿Quién era?

CRIADA. Era Leonardo.

NOVIA. *(Fuerte.)* ¡Mentira! ¡Mentira! ¿A qué viene aquí?

CRIADA. Vino.

NOVIA. ¡Cállate! ¡Maldita sea tu lengua!

(Se siente el ruido de un caballo.)

CRIADA. *(En la ventana.)* Mira, asómate. ¿Era?
NOVIA. ¡Era!

Telón rápido

Acto segundo

Zaguán de casa de la Novia. Portón al fondo. Es de noche. La Novia sale con enaguas blancas encañonadas, llenas de encajes y puntas bordadas y un corpiño blanco, con los brazos al aire. La Criada, lo mismo.

CRIADA. Aquí te acabaré de peinar.

NOVIA. No se puede estar ahí dentro del calor.

CRIADA. En estas tierras no refresca ni al amanecer.

> *(Se sienta la Novia en una silla baja y se mira en su espejito de mano. La Criada la peina.)*

NOVIA. Mi madre era de un sitio donde había muchos árboles. De tierra rica.

CRIADA. ¡Así era ella de alegre!

NOVIA. Pero se consumió aquí.

CRIADA. El sino.

NOVIA. Como nos consumimos todas. Echan fuego las paredes. ¡Ay!, no tires demasiado.

CRIADA. Es para arreglarte mejor esta onda. Quiero que te caiga sobre la frente. *(La Novia se mira en el espejo.)* Qué hermosa estás. ¡Ay! *(La besa apasionadamente.)*

NOVIA. *(Seria.)* Sigue peinándome.

CRIADA. *(Peinándola.)* ¡Dichosa tú que vas a abrazar a un hombre, que lo vas a besar, que vas a sentir su peso!

NOVIA. Calla.

CRIADA. Y lo mejor es, cuando te despiertes y lo sientas al lado y que él te roza los hombros con su aliento, como con una plumilla de ruiseñor.

NOVIA. *(Fuerte.)* ¿Te quieres callar?

CRIADA. ¡Pero, niña! ¿Una boda, qué es? Una boda es esto y nada más. ¿Son los dulces? ¿Son los ramos de flores? No. Es una cama relumbrante y un hombre y una mujer.

NOVIA. No se debe decir.

CRIADA. Eso es otra cosa. ¡Pero es bien alegre!

NOVIA. O bien amargo.

CRIADA. El azahar te lo voy a poner desde aquí, hasta aquí, de modo que la corona luzca sobre el peinado. *(Le prueba el ramo de azahar.)*

NOVIA. *(Se mira en el espejo.)* Trae. *(Coge el azahar y lo mira y deja caer la cabeza abatida.)*

CRIADA. ¿Qué es esto?

NOVIA. Déjame.

CRIADA. No son horas de ponerte triste. *(Animosa.)* Trae el azahar. *(Novia tira el azahar.)* ¡Niña! ¿Qué castigo pides tirando al suelo la corona? ¡Levanta esa frente! ¿Es que no te quieres casar? Dilo. Todavía te puedes arrepentir. *(Se levanta.)*

NOVIA. Son nublos. Un mal aire en el centro. ¿Quién no lo tiene?

CRIADA. Tú quieres a tu novio.

NOVIA. Lo quiero.

CRIADA. Sí, sí estoy segura.

NOVIA. Pero éste es un paso muy grande.

CRIADA. Hay que darlo.

NOVIA. Ya me he comprometido.

CRIADA. Te voy a poner la corona.

NOVIA. *(Se sienta.)* Date prisa, que ya deben ir llegando.

CRIADA. Ya llevarán lo menos dos horas de camino.

NOVIA. ¿Cuánto hay de aquí a la iglesia?

CRIADA. Cinco leguas por el arroyo, que por el camino hay el doble.

> *(La Novia se levanta y la Criada se entusiasma al verla.)*

> Despierte la novia
> la mañana de la boda.
> ¡Que los ríos del mundo
> lleven tu corona!

NOVIA. *(Sonriente.)* Vamos.

CRIADA. *(La besa entusiasmada y baila alrededor.)*
>Que despierte
>con el ramo verde
>del laurel florido.
>¡Que despierte
>por el tronco y la rama
>de los laureles!

(Se oyen unos aldabonazos.)

NOVIA. ¡Abre! Deben ser los primeros convidados. *(Entra. La Criada abre sorprendida.)*

CRIADA. ¿Tú?

LEONARDO. Yo. Buenos días.

CRIADA. ¡El primero!

LEONARDO. ¿No me han convidado?

CRIADA. Sí.

LEONARDO. Por eso vengo.

CRIADA. ¿Y tu mujer?

LEONARDO. Yo vine a caballo. Ella se acerca por el camino.

CRIADA. ¿No te has encontrado a nadie?

LEONARDO. Los pasé con el caballo.

CRIADA. Vas a matar al animal con tanta carrera.

LEONARDO. ¡Cuando se muera, muerto está! *(Pausa.)*

CRIADA. Siéntate. Todavía no se ha levantado nadie.

LEONARDO. ¿Y la novia?

CRIADA. Ahora mismo la voy a vestir.

LEONARDO. ¡La novia! ¡Estará contenta!

CRIADA. *(Variando la conversación.)* ¿Y el niño?

LEONARDO. ¿Cuál?

CRIADA. Tu hijo.

LEONARDO. *(Recordando como soñoliento.)* ¡Ah!

CRIADA. ¿Lo traen?

LEONARDO. No. *(Pausa. Voces cantando muy lejos.)*

VOCES.

> ¡Despierte la novia
> la mañana de la boda!

LEONARDO.

> Despierte la novia
> la mañana de la boda.

CRIADA. Es la gente. Viene lejos todavía.

LEONARDO. *(Levantándose.)* ¿La novia llevará una corona grande, no? No debía ser tan grande. Un poco más pequeña le sentaría mejor. ¿Y trajo ya el novio el azahar que se tiene que poner en el pecho?

NOVIA. *(Apareciendo todavía en enaguas y con la corona de azahar puesta.)* Lo trajo.

CRIADA. *(Fuerte.)* No salgas así.

NOVIA. ¿Qué más da? *(Seria.)* ¿Por qué preguntas si trajeron el azahar? ¿Llevas intención?

LEONARDO. Ninguna. ¿Qué intención iba a tener? *(Acercándose.)* Tú, que me conoces, sabes que no la llevo. Dímelo. ¿Quién he sido yo para ti? Abre y refresca tu recuerdo. Pero dos bueyes y una mala choza son casi nada. Ésa es la espina.

NOVIA. ¿A qué vienes?

LEONARDO. A ver tu casamiento.

NOVIA. ¡También yo vi el tuyo!

LEONARDO. Amarrado por ti, hecho con tus dos manos. A mí me pueden matar, pero no me pueden escupir. Y la plata, que brilla tanto, escupe algunas veces.

NOVIA. ¡Mentira!

LEONARDO. No quiero hablar, porque soy hombre de sangre y no quiero que todos estos cerros oigan mis voces.

NOVIA. Las mías serían más fuertes.

CRIADA. Estas palabras no pueden seguir. Tú no tienes que hablar de lo pasado. *(La Criada mira a las puertas presa de inquietud.)*

NOVIA. Tiene razón. Yo no debo hablarte siquiera. Pero se me calienta el alma de que vengas a verme y atisbar mi boda y preguntes con intención por el azahar. Vete y espera a tu mujer en la puerta.

LEONARDO. ¿Es que tú y yo no podemos hablar?

CRIADA. *(Con rabia.)* No; no podéis hablar.

LEONARDO. Después de mi casamiento he pensado noche y día de quién era la culpa, y cada vez que pienso sale una culpa nueva que se come a la otra; ¡pero siempre hay culpa!

NOVIA. Un hombre con su caballo sabe mucho y puede mucho para poder estrujar a una muchacha metida en un desierto. Pero yo tengo orgullo. Por eso me caso. Y me encerraré con mi marido, a quien tengo que querer por encima de todo.

LEONARDO. El orgullo no te servirá de nada. *(Se acerca.)*

NOVIA. ¡No te acerques!

LEONARDO. Callar y quemarse es el castigo más grande que nos podemos echar encima. ¿De qué me sirvió a mí el orgullo y el no mirarte y el dejarte despierta noches y noches? ¡De nada! ¡Sirvió para echarme fuego encima! Porque tú crees que el tiempo cura y que las paredes tapan, y no es verdad, no es verdad. ¡Cuando las cosas llegan a los centros, no hay quien las arranque!

NOVIA. *(Temblando.)* No puedo oírte. No puedo oír tu voz. Es como si me bebiera una botella de anís y me durmiera en una colcha de rosas. Y me arrastra, y sé que me ahogo, pero voy detrás.

CRIADA. *(Cogiendo a Leonardo por las solapas.)* ¡Debes irte ahora mismo!

LEONARDO. Es la última vez que voy a hablar con ella. No temas nada.

NOVIA. Y sé que estoy loca y sé que tengo el pecho podrido de aguantar, y aquí estoy quieta por oírlo, por verlo menear los brazos.

LEONARDO. No me quedo tranquilo si no te digo estas cosas. Yo me casé. Cásate tú ahora.

CRIADA. *(A Leonardo.)* ¡Y se casa!

VOCES. *(Cantando más cerca.)*

> Despierte la novia
> la mañana de la boda.

NOVIA.
> ¡Despierte la novia!

> *(Sale corriendo a su cuarto.)*

CRIADA. Ya está aquí la gente. *(A Leonardo.)* No te vuelvas a acercar a ella.

LEONARDO. Descuida. *(Sale por la izquierda. Empieza a clarear el día.)*

MUCHACHA 1.ª *(Entrando.)*
> Despierte la novia
> la mañana de la boda;
> ruede la ronda
> y en cada balcón una corona.

VOCES.
> ¡Despierte la novia!

CRIADA. *(Moviendo algazara.)*
> Que despierte
> con el ramo verde
> del amor florido.
> ¡Que despierte
> por el tronco y la rama
> de los laureles!

MUCHACHA 2.ª *(Entrando.)*
> Que despierte
> con el largo pelo,
> camisa de nieve,
> botas de charol y plata
> y jazmines en la frente.

CRIADA.
> ¡Ay, pastora,
> que la luna asoma!

MUCHACHA 1.ª
> ¡Ay, galán,
> deja tu sombrero por el olivar!

MOZO 1.º *(Entrando con el sombrero en alto.)*
> Despierte la novia
> que por los campos viene

> rodando la boda,
> con bandeja de dalias
> y panes de gloria.

VOCES.

> ¡Despierte la novia!

MUCHACHA 2.ª

> La novia
> se ha puesto su blanca corona,
> y el novio
> se la prende con lazos de oro.

CRIADA.

> Por el toronjil
> la novia no puede dormir.

MUCHACHA 3.ª *(Entrando.)*
> Por el naranjel
> el novio le ofrece cuchara y mantel.

> *(Entran los tres Convidados.)*

MOZO 1.º

> ¡Despierta, paloma!
> El alba despeja
> campanas de sombra.

CONVIDADO.

> La novia, la blanca novia,
> hoy doncella,
> mañana señora.

MUCHACHA 1.ª

> Baja, morena,
> arrastrando tu cola de seda.

CONVIDADO.

> Baja, morenita,
> que llueve rocío la mañana fría.

MOZO 1.º

> Despertad, señora, despertad,
> porque viene el aire lloviendo azahar.

CRIADA.

> Un árbol quiero bordarle
> lleno de cintas granates

y en cada cinta un amor
con vivas alrededor.

VOCES.

Despierte la novia.

MOZO 1.º

¡La mañana de la boda!

CONVIDADO.

La mañana de la boda
qué galana vas a estar;
pareces, flor de los montes,
la mujer de un capitán.

PADRE. *(Entrando.)*

La mujer de un capitán
se lleva el novio.
¡Ya viene con sus bueyes por el tesoro!

MUCHACHA 3.ª

El novio
parece la flor del oro.
Cuando camina,
a sus plantas se agrupan las clavelinas.

CRIADA.

¡Ay mi niña dichosa!

MOZO 2.º

Que despierte la novia.

CRIADA.

¡Ay mi galana!

MUCHACHA 1.ª

La boda está llamando
por las ventanas.

MUCHACHA 2.ª

Que salga la novia.

MUCHACHA 1.ª

¡Que salga, que salga!

CRIADA.

¡Que toque y repiquen
las campanas!

MOZO 1.º

¡Que viene aquí! ¡Que sale ya!

CRIADA.

> ¡Como un toro, la boda
> levantándose está!

> *(Aparece la Novia. Lleva un traje negro mil
> novecientos, con caderas y larga cola rodea-
> da de gasas plisadas y encajes duros. Sobre el
> peinado de visera lleva la corona de azahar.
> Suenan las guitarras. Las Muchachas besan a
> la Novia.)*

MUCHACHA 3.ª ¿Qué esencia te echaste en el pelo?

NOVIA. *(Riendo.)* Ninguna.

MUCHACHA 2.ª *(Mirando el traje.)* La tela es de lo que no hay.

MOZO 1.º ¡Aquí está el novio!

NOVIO. ¡Salud!

MUCHACHA 1.ª *(Poniéndole una flor en la oreja.)*

> El novio
> parece la flor del oro.

MUCHACHA 2.ª

> ¡Aires de sosiego
> le manan los ojos!

> *(El Novio se dirige al lado de la Novia.)*

NOVIA. ¿Por qué te pusiste esos zapatos?

NOVIO. Son más alegres que los negros.

MUJER DE LEONARDO. *(Entrando y besando a la Novia.)* ¡Salud! *(Hablan todas con algazara.)*

LEONARDO. *(Entrando como quien cumple un deber.)*

> La mañana de casada
> la corona te ponemos.

MUJER.

> ¡Para que el campo se alegre
> con el agua de tu pelo!

MADRE. *(Al Padre.)* ¿También están ésos aquí?

PADRE. Son familia. ¡Hoy es día de perdones!

MADRE. Me aguanto, pero no perdono.

NOVIO. ¡Con la corona da alegría mirarte!

NOVIA. ¡Vámonos pronto a la iglesia!

NOVIO. ¿Tienes prisa?

NOVIA. Sí. Estoy deseando ser tu mujer y quedarme sola contigo, y no oír más voz que la tuya.

NOVIO. ¡Eso quiero yo!

NOVIA. Y no ver más que tus ojos. Y que me abrazaras tan fuerte, que aunque me llamara mi madre, que está muerta, no me pudiera despegar de ti.

NOVIO. Yo tengo fuerza en los brazos. Te voy a abrazar cuarenta años seguidos.

NOVIA. *(Dramática, cogiéndole del brazo.)* ¡Siempre!

PADRE. ¡Vamos pronto! ¡A coger las caballerías y los carros! Que ya ha salido el sol.

MADRE. ¡Que llevéis cuidado! No sea que tengamos mala hora.

> *(Se abre el gran portón del fondo. Empiezan a salir.)*

CRIADA. *(Llorando.)*

> Al salir de tu casa,
> blanca doncella,
> acuérdate que sales
> como una estrella...

MUCHACHA 1.ª

> Limpia de cuerpo y ropa
> al salir de tu casa para la boda.

> *(Van saliendo.)*

MUCHACHA 2.ª

> ¡Ya sales de tu casa
> para la iglesia!

CRIADA.

> ¡El aire pone flores
> por las arenas!

MUCHACHA 3.ª

> ¡Ay la blanca niña!

CRIADA.
Aire oscuro el encaje de su mantilla.

(*Salen. Se oyen guitarras, palillos y pandere-
tas. Quedan solos. Leonardo y su Mujer.*)

MUJER. Vamos.

LEONARDO. ¿Adónde?

MUJER. A la iglesia. Pero no vas en el caballo. Vienes conmigo.

LEONARDO. ¿En el carro?

MUJER. ¿Hay otra cosa?

LEONARDO. Yo no soy hombre para ir en carro.

MUJER. Y yo no soy mujer para ir sin su marido en un casamiento. ¡Que no puedo más!

LEONARDO. ¡Ni yo tampoco!

MUJER. ¿Por qué me miras así? Tienes una espina en cada
ojo.

LEONARDO. ¡Vamos!

MUJER. No sé lo que pasa. Pero pienso y no quiero pensar.
Una cosa sé. Yo ya estoy despachada. Pero tengo un hijo.
Y otro que viene. Vamos andando. El mismo sino tuvo mi
madre. Pero de aquí no me muevo. (*Voces fuera.*)

VOCES.
(¡Al salir de tu casa
para la iglesia,
acuérdate que sales
como una estrella!)

MUJER. (*Llorando.*)
¡Acuérdate que sales
como una estrella!

Así salí yo de mi casa también. Que me cabía todo el
campo en la boca.

LEONARDO. (*Levantándose.*) Vamos.

MUJER. ¡Pero conmigo!

LEONARDO. Sí. (*Pausa.*) ¡Echa a andar! (*Salen.*)

VOCES.

> Al salir de tu casa
> para la iglesia
> acuérdate que sales
> como una estrella.

Telón lento

CUADRO II

Exterior de la cueva de la Novia. Entonación en blancos grises y azules fríos. Grandes chumberas. Tonos sombríos y plateados. Panoramas de mesetas color barquillo, todo endurecido como paisaje de cerámica popular.

CRIADA. *(Arreglando en una mesa copas y bandejas.)*

> Giraba,
> giraba la rueda
> y el agua pasaba,
> porque llega la boda
> que se aparten las ramas
> y la luna se adorne
> por su blanca baranda.

(En voz alta.) ¡Pon los manteles!

(En voz patética.) Cantaban,
> cantaban los novios
> y el agua pasaba.
> Porque llega la boda
> que relumbre la escarcha
> y se llenen de miel
> las almendras amargas.

(En voz alta.) ¡Prepara el vino!

(En voz poética.)   Galana.
Galana de la tierra,
mira cómo el agua pasa.
Porque llega tu boda
recógete las faldas
y bajo el ala del novio
nunca salgas de tu casa.
Porque el novio es un palomo
con todo el pecho de brasa
y espera el campo el rumor
de la sangre derramada.
Giraba,
giraba la rueda
y el agua pasaba.
¡Porque llega tu boda,
deja que relumbre el agua!

MADRE. *(Entrando.)* ¡Por fin!

PADRE. ¿Somos los primeros?

CRIADA. No. Hace rato llegó Leonardo con su mujer. Corrieron como demonios. La mujer llegó muerta de miedo. Hicieron el camino como si hubieran venido a caballo.

PADRE. Ése busca la desgracia. No tiene buena sangre.

MADRE. ¿Qué sangre va a tener? La de toda su familia. Mana de su bisabuelo, que empezó matando y sigue en toda la mala ralea, manejadores de cuchillos y gente de falsa sonrisa.

PADRE. ¡Vamos a dejarlo!

CRIADA. ¿Cómo lo va a dejar?

MADRE. Me duele hasta la punta de las venas. En la frente de todos ellos yo no veo más que la mano con que mataron a lo que era mío. ¿Tú me ves a mí? ¿No te parezco loca? Pues es loca de no haber gritado todo lo que mi pecho necesita. Tengo en mi pecho un grito siempre puesto de pie a quien tengo que castigar y meter entre los mantos. Pero se llevan a los muertos y hay que callar. Luego la gente critica. *(Se quita el manto.)*

PADRE. Hoy no es día de que te acuerdes de esas cosas.

MADRE. Cuando sale la conversación, tengo que hablar. Y hoy más. Porque hoy me quedo sola en mi casa.

PADRE. En espera de estar acompañada.

MADRE. Ésa es mi ilusión: los nietos. *(Se sientan.)*

PADRE. Yo quiero que tengan muchos. Esta tierra necesita brazos que no sean pagados. Hay que sostener una batalla con las malas hierbas, con los cardos, con los pedruscos que salen no se sabe dónde. Y estos brazos tienen que ser de los dueños, que castiguen y que dominen, que hagan brotar las simientes. Se necesitan muchos hijos.

MADRE. ¡Y alguna hija! ¡Los varones son del viento! Tienen por fuerza que manejar armas. Las niñas no salen jamás a la calle.

PADRE. *(Alegre.)* Yo creo que tendrán de todo.

MADRE. Mi hijo la cubrirá bien. Es de buena simiente. Su padre pudo haber tenido conmigo muchos hijos.

PADRE. Lo que yo quisiera es que esto fuera cosa de un día. Que en seguida tuvieran dos o tres hombres.

MADRE. Pero no es así. Se tarda mucho. Por eso es tan terrible ver la sangre de una derramada por el suelo. Una fuente que corre un minuto y a nosotros nos ha costado años. Cuando yo llegué a ver a mi hijo, estaba tumbado en mitad de la calle. Me mojé las manos de sangre y me las lamí con la lengua. Porque era mía. Tú no sabes lo que es eso. En una custodia de cristal y topacios pondría yo la tierra empapada por ella.

PADRE. Ahora tienes que esperar. Mi hija es ancha y tu hijo es fuerte.

MADRE. Así espero. *(Se levantan.)*

PADRE. Prepara las bandejas de trigo.

CRIADA. Están preparadas.

MUJER. *(De Leonardo, entrando.)* ¡Que sea para bien!

MADRE. Gracias.

LEONARDO. ¿Va a haber fiesta?

PADRE. Poca. La gente no puede entretenerse.

CRIADA. ¡Ya están aquí!

(Van entrando Invitados en alegres grupos. Entran los Novios cogidos del brazo. Sale Leonardo.)

NOVIO. En ninguna boda se vio tanta gente.

NOVIA. *(Sombría.)* En ninguna.

PADRE. Fue lucida.

MADRE. Ramas enteras de familias han venido.

NOVIO. Gente que no salía de su casa.

MADRE. Tu padre sembró mucho y ahora lo recoges tú.

NOVIO. Hubo primos míos que yo ya no conocía.

MADRE. Toda la gente de la costa.

NOVIO. *(Alegre.)* Se espantaban de los caballos. *(Hablan.)*

MADRE. *(A la Novia.)* ¿Qué piensas?

NOVIA. No pienso en nada.

MADRE. Las bendiciones pesan mucho. *(Se oyen guitarras.)*

NOVIA. Como plomo.

MADRE. *(Fuerte.)* Pero no han de pesar. Ligera como paloma debes ser.

NOVIA. ¿Se queda usted aquí esta noche?

MADRE. No. Mi casa está sola.

NOVIA. ¡Debía usted quedarse!

PADRE. *(A la Madre.)* Mira el baile que tienen formado. Bailes de allá de la orilla del mar.

(Sale Leonardo y se sienta. Su Mujer detrás de él en actitud rígida.)

MADRE. Son los primos de mi marido. Duros como piedras para la danza.

PADRE. Me alegra el verlos. ¡Qué cambio para esta casa! *(Se va.)*

NOVIO. *(A la Novia.)* ¿Te gustó el azahar?

NOVIA. *(Mirándole fija.)* Sí.

NOVIO. Es todo de cera. Dura siempre. Me hubiera gustado que llevaras en todo el vestido.

NOVIA. No hace falta. *(Mutis Leonardo por la derecha.)*

MUCHACHA 1.ª Vamos a quitarte los alfileres.

NOVIA. *(Al Novio.)* Ahora vuelvo.

MUJER. ¡Que seas feliz con mi prima!

NOVIO. Tengo seguridad.

MUJER. Aquí los dos; sin salir nunca y a levantar la casa. ¡Ojalá yo viviera también así de lejos!

NOVIO. ¿Por qué no compráis tierras? El monte es barato y los hijos se crían mejor.

MUJER. No tenemos dinero. ¡Y con el camino que llevamos!

NOVIO. Tu marido es un buen trabajador.

MUJER. Sí, pero le gusta volar demasiado. Ir de una cosa a otra. No es hombre tranquilo.

CRIADA. ¿No tomáis nada? Te voy a envolver unos roscos de vino para tu madre, que a ella le gustan mucho.

NOVIO. Ponle tres docenas.

MUJER. No, no. Con media tiene bastante.

NOVIO. Un día es un día.

MUJER. *(A la Criada.)* ¿Y Leonardo?

CRIADA. No lo vi.

NOVIO. Debe estar con la gente.

MUJER. ¡Voy a ver! *(Se va.)*

CRIADA. Aquello está hermoso.

NOVIO. ¿Y tú no bailas?

CRIADA. No hay quien me saque.

> *(Pasan al fondo dos Muchachas; durante todo este acto el fondo será un animado cruce de figuras.)*

NOVIO. *(Alegre.)* Eso se llama no entender. Las viejas frescas como tú bailan mejor que las jóvenes.

CRIADA. Pero ¿vas a echarme requiebros, niño? ¡Qué familia la tuya! ¡Machos entre los machos! Siendo niña vi la boda de tu abuelo. ¡Qué figura! Parecía como si se casara un monte.

NOVIO. Yo tengo menos estatura.

CRIADA. Pero el mismo brillo en los ojos. ¿Y la niña?

NOVIO. Quitándose la toca.

CRIADA. ¡Ah! Mira. Para la media noche, como no dormiréis, os he preparado jamón, y unas copas grandes de vino antiguo. En la parte baja de la alacena. Por si lo necesitáis.

NOVIO. *(Sonriente.)* No como a media noche.

CRIADA. *(Con malicia.)* Si tú no, la novia. *(Se va.)*

MOZO 1.º *(Entrando.)* ¡Tienes que beber con nosotros!

NOVIO. Estoy esperando a la novia.

MOZO 2.º ¡Ya la tendrás en la madrugada!

MOZO 1.º ¡Que es cuando más gusta!

MOZO 2.º Un momento.

NOVIO. Vamos.

> *(Salen. Se oye gran algazara. Sale la Novia. Por el lado opuesto salen dos Muchachas corriendo a encontrarla.)*

MUCHACHA 1.ª ¿A quién diste el primer alfiler, a mí, o a ésta?

NOVIA. No me acuerdo.

MUCHACHA 1.ª A mí me lo diste aquí.

MUCHACHA 2.ª A mí delante del altar.

NOVIA. *(Inquieta y con una gran lucha interior.)* No sé nada.

MUCHACHA 1.ª Es que yo quisiera que tú...

NOVIA. *(Interrumpiendo.)* Ni me importa. Tengo mucho que pensar.

MUCHACHA 2.ª Perdona. *(Leonardo cruza el fondo.)*

NOVIA. *(Ve a Leonardo.)* Y estos momentos son agitados.

MUCHACHA 1.ª ¡Nosotras no sabemos nada!

NOVIA. Ya lo sabréis cuando os llegue la hora. Estos pasos son pasos que cuestan mucho.

MUCHACHA 1.ª ¿Te ha disgustado?

NOVIA. No. Perdonad vosotras.

MUCHACHA 2.ª ¿De qué? Pero los dos alfileres sirven para casarse, ¿verdad?

NOVIA. Los dos.

MUCHACHA 1.ª Ahora que una se casa antes que otra.

NOVIA. ¿Tantas ganas tenéis?

MUCHACHA 2.ª *(Vergonzosa.)* Sí.

NOVIA. ¿Para qué?

MUCHACHA 1.ª Pues... *(Abrazando a la segunda.)*

(Echan a correr las dos. Llega el Novio y muy despacio abraza a la Novia por detrás.)

NOVIA. *(Con gran sobresalto.)* ¡Quita!

NOVIO. ¿Te asustas de mí?

NOVIA. ¡Ay! ¿Eras tú?

NOVIO. ¿Quién iba a ser? *(Pausa.)* Tu padre o yo.

NOVIA. ¡Es verdad!

NOVIO. Ahora que tu padre te hubiera abrazado más blando.

NOVIA. *(Sombría.)* ¡Claro!

NOVIO. *(La abraza fuertemente de modo un poco brusco.)* Porque es viejo.

NOVIA. *(Seca.)* ¡Déjame!

NOVIO. ¿Por qué? *(La deja.)*

NOVIA. Pues... la gente. Pueden vernos. *(Vuelve a cruzar el fondo la Criada, que no mira a los Novios.)*

NOVIO. ¿Y qué? Ya es sagrado.

NOVIA. Sí, pero déjame... Luego.

NOVIO. ¿Qué tienes? ¡Estás como asustada!

NOVIA. No tengo nada. No te vayas. *(Sale la Mujer de Leonardo.)*

MUJER. No quiero interrumpir...

NOVIO. Dime.

MUJER. ¿Pasó por aquí mi marido?

NOVIO. No.

MUJER. Es que no lo encuentro, y el caballo no está tampoco en el establo.

NOVIO. *(Alegre.)* Debe estar dándole una carrera. *(Se va la Mujer inquieta. Sale la Criada.)*

CRIADA. ¿No andáis satisfechos de tanto saludo?

NOVIO. Ya estoy deseando que esto acabe. La novia está un poco cansada.

CRIADA. ¿Qué es eso, niña?

NOVIA. ¡Tengo como un golpe en las sienes!

CRIADA. Una novia de estos montes debe ser fuerte. *(Al No-*

vio.) Tú eres el único que la puedes curar, porque tuya es. *(Sale corriendo.)*

NOVIO. *(Abrazándola.)* Vamos un rato al baile. *(La besa.)*

NOVIA. *(Angustiada.)* No. Quisiera echarme en la cama un poco.

NOVIO. Yo te haré compañía.

NOVIA. ¡Nunca! ¿Con toda la gente aquí? ¿Qué dirían? Déjame sosegar un momento.

NOVIO. ¡Lo que quieras! ¡Pero no estés así por la noche!

NOVIA. *(En la puerta.)* A la noche estaré mejor.

NOVIO. ¡Que es lo que yo quiero! *(Aparece la Madre.)*

MADRE. Hijo.

NOVIO. ¿Dónde anda usted?

MADRE. En todo ese ruido. ¿Estás contento?

NOVIO. Sí.

MADRE. ¿Y tu mujer?

NOVIO. Descansa un poco. ¡Mal día para las novias!

MADRE. ¿Mal día? El único bueno. Para mí fue como una herencia. *(Entra la Criada y se dirige al cuarto de la Novia.)* Es la roturación de las tierras, la plantación de árboles nuevos.

NOVIO. ¿Usted se va a ir?

MADRE. Sí. Yo tengo que estar en mi casa.

NOVIO. Sola.

MADRE. Sola no. Que tengo la cabeza llena de cosas y de hombres y de luchas.

NOVIO. Pero luchas que ya no son luchas.

> *(Sale la Criada rápidamente; desaparece corriendo por el fondo.)*

MADRE. Mientras una vive, lucha.

NOVIO. ¡Siempre la obedezco!

MADRE. Con tu mujer procura estar cariñoso, y si la notas infatuada o arisca, hazle una caricia que le produzca un poco de daño, un abrazo fuerte, un mordisco y luego un beso suave. Que ella no pueda disgustarse, pero que sienta que tú eres el macho, el amo, el que mandas. Así aprendí de tu padre. Y como no lo tienes, tengo que ser yo la que te enseñe estas fortalezas.

NOVIO. Yo siempre haré lo que usted mande.

PADRE. *(Entrando.)* ¿Y mi hija?

NOVIO. Está dentro.

MUCHACHA 1.ª ¡Vengan los novios, que vamos a bailar la rueda!

MOZO 1.º *(Al Novio.)* Tú la vas a dirigir.

PADRE. *(Saliendo.)* ¡Aquí no está!

NOVIO. ¿No?

PADRE. Debe haber subido a la baranda.

NOVIO. ¡Voy a ver! *(Entra.)*

(Se oye algazara y guitarras.)

MUCHACHA 1.ª ¡Ya han empezado! *(Sale.)*

NOVIO. *(Saliendo.)* No está.

MADRE. *(Inquieta.)* ¿No?

PADRE. ¿Y adónde pudo haber ido?

CRIADA. *(Entrando.)* ¿Y la niña, dónde está?

MADRE. *(Seria.)* No lo sabemos.

(Sale el Novio. Entran tres Invitados.)

PADRE. *(Dramático.)* Pero, ¿no está en el baile?

CRIADA. En el baile no está.

PADRE. *(Con arranque.)* Hay mucha gente. ¡Mirad!

CRIADA. ¡Ya he mirado!

PADRE. *(Trágico.)* ¿Pues dónde está?

NOVIO. *(Entrando.)* Nada. En ningún sitio.

MADRE. *(Al Padre.)* ¿Qué es esto? ¿Dónde está tu hija?

(Entra la Mujer de Leonardo.)

MUJER. ¡Han huido! ¡Han huido! Ella y Leonardo. En el caballo. ¡Iban abrazados, como una exhalación!

PADRE. ¡No es verdad! ¡Mi hija, no!

MADRE. ¡Tu hija, sí! Planta de mala madre y él, también él. ¡Pero ya es la mujer de mi hijo!

NOVIO. *(Entrando.)* ¡Vamos detrás! ¿Quién tiene un caballo?

MADRE. ¿Quién tiene un caballo ahora mismo, quién tiene un caballo?, que le daré todo lo que tengo, mis ojos y hasta mi lengua...

VOZ. Aquí hay uno.

MADRE. *(Al Hijo.)* ¡Anda! ¡Detrás! *(Sale con dos Mozos.)* No. No vayas. Esa gente mata pronto y bien...; ¡pero sí, corre, y yo detrás!

PADRE. No será ella. Quizá se haya tirado al aljibe.

MADRE. Al agua se tiran las honradas, las limpias; ¡ésa, no! Pero ya es mujer de mi hijo. Dos bandos. Aquí hay dos bandos. *(Entran todos.)* Mi familia y la tuya. Salid todos de aquí. Limpiarse el polvo de los zapatos. Vamos a ayudar a mi hijo. *(La gente se separa en dos grupos.)* Porque tiene gente; que son sus primos del mar y todos los que llegan de tierra adentro. ¡Fuera de aquí! Por todos los caminos. Ha llegado otra vez la hora de la sangre. Dos bandos. Tú con el tuyo y yo con el mío. ¡Atrás! ¡Atrás!

Telón

Acto tercero

Bosque. Es de noche. Grandes troncos húmedos. Ambiente oscu-
ro. Se oyen dos violines.

(Salen tres Leñadores.)

LEÑADOR 1.° ¿Y los han encontrado?

LEÑADOR 2.° No. Pero los buscan por todas partes.

LEÑADOR 3.° Ya darán con ellos.

LEÑADOR 2.° ¡Chissss!

LEÑADOR 3.° ¿Qué?

LEÑADOR 2.° Parece que se acercan por todos los caminos a la vez.

LEÑADOR 1.° Cuando salga la luna los verán.

LEÑADOR 2.° Debían dejarlos.

LEÑADOR 1.° El mundo es grande. Todos pueden vivir en él.

LEÑADOR 3.° Pero los matarán.

LEÑADOR 2.° Hay que seguir la inclinación; han hecho bien en huir.

LEÑADOR 1.° Se estaban engañando uno a otro y al fin la sangre pudo más.

LEÑADOR 3.° ¡La sangre!

LEÑADOR 1.° Hay que seguir el camino de la sangre.

LEÑADOR 2.° Pero sangre que ve la luz se la bebe la tierra.

LEÑADOR 1.° ¿Y qué? Vale más ser muerto desangrado que vivo con ella podrida.

LEÑADOR 3.° Callar.

LEÑADOR 1.° ¿Qué? ¿Oyes algo?

LEÑADOR 3.° Oigo los grillos, las ranas, el acecho de la noche.

LEÑADOR 1.° Pero el caballo no se siente.

LEÑADOR 3.° No.

LEÑADOR 1.° Ahora la estará queriendo.

LEÑADOR 2.º El cuerpo de ella era para él y el cuerpo de él para ella.

LEÑADOR 3.º Los buscan y los matarán.

LEÑADOR 1.º Pero ya habrán mezclado sus sangres y serán como los cántaros vacíos, como los arroyos secos.

LEÑADOR 2.º Hay muchas nubes y será fácil que la luna no salga.

LEÑADOR 3.º El novio los encontrará con luna o sin luna. Yo lo vi salir. Como una estrella furiosa. La cara color ceniza. Expresaba el sino de su casta.

LEÑADOR 1.º Su casta de muertos en mitad de la calle.

LEÑADOR 2.º ¡Eso es!

LEÑADOR 3.º ¿Crees que ellos lograrán romper el cerco?

LEÑADOR 2.º Es difícil. Hay cuchillos y escopetas a diez leguas a la redonda.

LEÑADOR 3.º Él lleva un buen caballo.

LEÑADOR 2.º Pero lleva una mujer.

LEÑADOR 1.º Ya estamos cerca.

LEÑADOR 2.º Un árbol de cuarenta ramas. Lo cortaremos pronto.

LEÑADOR 3.º Ahora sale la luna. Vamos a darnos prisa.

(Por la izquierda surge una claridad.)

LEÑADOR 1.º

¡Ay luna que sales!
Luna de las hojas grandes.

LEÑADOR 2.º

¡Llena de jazmines la sangre!

LEÑADOR 1.º

¡Ay luna sola!
¡Luna de las verdes hojas!

LEÑADOR 2.º

Plata en la cara de la novia.

LEÑADOR 3.º

¡Ay luna mala!
Deja para el amor la oscura rama.

LEÑADOR 1.º

>¡Ay triste luna!
>¡Deja para el amor la rama oscura!

>*(Salen. Por la claridad de la izquierda aparece
>la Luna. La Luna es un leñador joven con la
>cara blanca. La escena adquiere un vivo res-
>plandor azul.)*

LUNA.

>Cisne redondo en el río,
>ojo de las catedrales,
>alba fingida en las hojas
>soy; ¡no podrán escaparse!
>¿Quién se oculta? ¿Quién solloza
>por la maleta del valle?
>La luna deja un cuchillo
>abandonado en el aire,
>que siendo acecho de plomo
>quiere ser dolor de sangre.
>¡Dejadme entrar! ¡Vengo helada
>por paredes y cristales!
>¡Abrir tejados y pechos
>donde pueda calentarme!
>¡Tengo frío! Mis cenizas
>de soñolientos metales,
>buscan la cresta del fuego
>por los montes y las calles.
>Pero me lleva la nieve
>sobre su espalda de jaspe,
>y me anega, dura y fría,
>el agua de los estanques.
>Pues esta noche tendrán
>mis mejillas roja sangre,
>y los juncos agrupados
>en los anchos pies del aire.
>¡No haya sombra ni emboscada,
>que no puedan escaparse!

¡Que quiero entrar en un pecho
para poder calentarme!
¡Un corazón para mí!
¡Caliente!, que se derrame
por los montes de mi pecho;
dejadme entrar, ¡ay, dejadme!

                                        (A las ramas.)

No quiero sombras. Mis rayos
han de entrar en todas partes,
y haya en los troncos oscuros
un rumor de claridades,
para que esta noche tengan
mis mejillas dulce sangre,
y los juncos agrupados
en los anchos pies del aire.
¿Quién se oculta? ¡Afuera digo!
¡No! ¡No podrán escaparse!
Yo haré lucir al caballo
una fiebre de diamante.

> *(Desaparece entre los troncos, y vuelve la es-*
> *cena a su luz oscura. Sale una Anciana total-*
> *mente cubierta por tenues paños verdeoscuro.*
> *Lleva los pies descalzos. Apenas si se le verá el*
> *rostro entre los pliegues. Este personaje no fi-*
> *gura en el reparto.)*

MENDIGA.

Esa luna se va, y ellos se acercan.
De aquí no pasan. El rumor del río
apagará con el rumor de troncos
el desgarrado vuelo de los gritos.
Aquí ha de ser, y pronto. Estoy cansada.
Abren los cofres, y los blancos hilos
aguardan por el suelo de la alcoba
cuerpos pesados con el cuello herido.
No se despierte un pájaro y la brisa
recogiendo en su falda los gemidos,

huya con ellos por las negras copas
o los entierre por el blando limo.

(Impaciente.)

¡Esa luna, esa luna!

(Aparece la Luna. Vuelve la luz azul intensa.)

LUNA. Ya se acercan. Unos por la cañada y el otro por el río.
Voy a alumbrar las piedras. ¿Qué necesitas?

MENDIGA. Nada.

LUNA. El aire va llegando duro, con doble filo.

MENDIGA. Ilumina el chaleco y aparta los botones, que después las navajas ya saben el camino.

LUNA.

Pero que tarden mucho en morir.
Que la sangre
me ponga entre los dedos su delicado silbo.
¡Mira que ya mis valles de ceniza despiertan
en ansia de esta fuente de chorro estremecido!

MENDIGA. No dejemos que pasen el arroyo. ¡Silencio!

LUNA. ¡Allí vienen! *(Se va. Queda la escena oscura.)*

MENDIGA. De prisa. ¡Mucha luz! ¿Me has oído? ¡No pueden
escaparse!

(Entran el Novio y Mozo 1.º La Mendiga se
sienta y se tapa con el manto.)

NOVIO. Por aquí.

MOZO 1.º No los encontrarás.

NOVIO. *(Enérgico.)* ¡Sí los encontraré!

MOZO 1.º Creo que se han ido por otra vereda.

NOVIO. No. Yo sentí hace un momento el galope.

MOZO 1.º Sería otro caballo.

NOVIO. *(Dramático.)* Oye. No hay más que un caballo en el
mundo, y es éste. ¿Te has enterado? Si me sigues, sígueme
sin hablar.

MOZO 1.º Es que quisiera...

NOVIO. Calla. Estoy seguro de encontrármelos aquí. ¿Ves

este brazo? Pues no es mi brazo. Es el brazo de mi hermano y el de mi padre y el de toda mi familia que está muerta.
Y tiene tanto poderío, que puede arrancar este árbol de raíz
si quiere. Y vamos pronto, que siento los dientes de todos
los míos clavados aquí de una manera que se me hace imposible respirar tranquilo.

MENDIGA. *(Quejándose.)* ¡Ay!

MOZO 1.° ¿Has oído?

NOVIO. Vete por ahí y da la vuelta.

MOZO 1.° Esto es una caza.

NOVIO. Una caza. La más grande que se puede hacer.

> *(Se va el Mozo. El Novio se dirige rápidamen
> te hacia la izquierda y tropieza con la Mendi
> ga, la muerte.)*

MENDIGA. ¡Ay!

NOVIO. ¿Qué quieres?

MENDIGA. Tengo frío.

NOVIO. ¿Adónde te diriges?

MENDIGA. *(Siempre quejándose como una mendiga.)* Allá lejos...

NOVIO. ¿De dónde vienes?

MENDIGA. De allí..., de muy lejos.

NOVIO. ¿Viste un hombre y una mujer que corrían montados
en un caballo?

MENDIGA. *(Despertándose.)* Espera... *(Lo mira.)* Hermoso galán. *(Se levanta.)* Pero mucho más hermoso si estuviera dormido.

NOVIO. Dime, contesta, ¿los viste?

MENDIGA. Espera... ¡Qué espaldas más anchas! ¿Cómo no te
gusta estar tendido sobre ellas y no andar sobre las plantas
de los pies que son tan chicas?

NOVIO. *(Zamarreándola.)* ¡Te digo si los viste! ¿Han pasado
por aquí?

MENDIGA. *(Enérgica.)* No han pasado; pero están saliendo de
la colina. ¿No los oyes?

NOVIO. No.

MENDIGA. ¿Tú no conoces el camino?

NOVIO. ¡Iré sea como sea!

MENDIGA. Te acompañaré. Conozco esta tierra.

NOVIO. *(Impaciente.)* ¡Pero vamos! ¿Por dónde?

MENDIGA. *(Dramática.)* ¡Por allí!

> *(Salen rápidos. Se oyen lejanos dos violines que expresan el bosque. Vuelven los Leñadores. Llevan las hachas al hombro. Pasan lentos entre los troncos.)*

LEÑADOR 1.º

> ¡Ay muerte que sales!
> Muerte de las hojas grandes.

LEÑADOR 2.º

> ¡No abras el chorro de la sangre!

LEÑADOR 1.º

> ¡Ay muerte sola!
> Muerte de las secas hojas.

LEÑADOR 3.º

> ¡No cubras de flores la boda!

LEÑADOR 2.º

> ¡Ay triste muerte!
> Deja para el amor la rama verde.

LEÑADOR 1.º

> ¡Ay muerte mala!
> ¡Deja para el amor la verde rama!

> *(Van saliendo mientras hablan. Aparecen Leonardo y la Novia.)*

LEONARDO.

> ¡Calla!

NOVIA.

> Desde aquí yo me iré sola.
> ¡Vete! Quiero que te vuelvas.

LEONARDO.

> ¡Calla, digo!

NOVIA.

> Con los dientes, con las manos, como puedas,
> quita de mi cuello honrado
> el metal de esta cadena,
> dejándome arrinconada
> allá en mi casa de tierra.
> Y si no quieres matarme
> como a víbora pequeña,
> pon en mis manos de novia
> el cañón de la escopeta.
> ¡Ay, qué lamento, qué fuego
> me sube por la cabeza!
> ¡Qué vidrios se me clavan en la lengua!

LEONARDO.

> Ya dimos el paso; ¡calla!,
> porque nos persiguen cerca
> y te he de llevar conmigo.

NOVIA.

> ¡Pero ha de ser a la fuerza!

LEONARDO.

> ¿A la fuerza? ¿Quién bajó
> primero las escaleras?

NOVIA.

> Yo las bajé.

LEONARDO.

> ¿Quién le puso
> al caballo bridas nuevas?

NOVIA.

> Yo misma. Verdad.

LEONARDO.

> ¿Y qué manos
> me calzaron las espuelas?

NOVIA.

> Estas manos, que son tuyas,
> pero que al verte quisieran
> quebrar las ramas azules
> y el murmullo de tus venas.
> ¡Te quiero! ¡Te quiero! ¡Aparta!

Que si matarte pudiera,
te pondría una mortaja
con los filos de violetas.
¡Ay, qué lamento, qué fuego
me sube por la cabeza!

LEONARDO.

¡Qué vidrios se me clavan en la lengua!
Porque yo quise olvidar
y puse un muro de piedra
entre tu casa y la mía.
Es verdad. ¿No lo recuerdas?
Y cuando te vi de lejos
me eché en los ojos arena.
Pero montaba a caballo
y el caballo iba a tu puerta.
Con alfileres de plata
mi sangre se puso negra,
y el sueño me fue llenando
las carnes de mala hierba.
Que yo no tengo la culpa,
que la culpa es de la tierra
y de ese olor que te sale
de los pechos y las trenzas.

NOVIA.

¡Ay qué sinrazón! No quiero
contigo cama ni cena,
y no hay minuto del día
que estar contigo no quiera,
porque me arrastras y voy,
y me dices que me vuelva
y te sigo por el aire
como una brizna de hierba.
He dejado a un hombre duro
y a toda su descendencia
en la mitad de la boda
y con la corona puesta.
Para ti será el castigo
y no quiero que lo sea.

¡Déjame sola! ¡Huye tú!
No hay nadie que te defienda.

LEONARDO.

Pájaros de la mañana
por los árboles se quiebran.
La noche se está muriendo
en el filo de la piedra.
Vamos al rincón oscuro,
donde yo siempre te quiera,
que no me importa la gente,
ni el veneno que nos echa.

(La abraza fuertemente.)

NOVIA.

Y yo dormiré a tus pies
para guardar lo que sueñas.
Desnuda, mirando al campo,

(Dramática.)

como si fuera una perra,
¡porque eso soy! Que te miro
y tu hermosura me quema.

LEONARDO.

Se abrasa lumbre con lumbre.
La misma llama pequeña
mata dos espigas juntas.
¡Vamos!

(La arrastra.)

NOVIA.

¿Adónde me llevas?

LEONARDO.

Adonde no puedan ir
estos hombres que nos cercan.
¡Donde yo pueda mirarte!

NOVIA. *(Sarcástica.)*

Llévame de feria en feria,
dolor de mujer honrada,
a que las gentes me vean

con las sábanas de boda
al aire, como banderas.

LEONARDO.

También yo quiero dejarte
si pienso como se piensa.
Pero voy donde tú vas.
Tú también. Da un paso. Prueba.
Clavos de luna nos funden
mi cintura y tus caderas.

*(Toda esta escena es violenta, llena de gran
sensualidad.)*

NOVIA.

¿Oyes?

LEONARDO.

Viene gente.

NOVIA.

¡Huye!
Es justo que yo aquí muera
con los pies dentro del agua,
espinas en la cabeza.
Y que me lloren las hojas,
mujer perdida y doncella.

LEONARDO.

Cállate. Ya suben.

NOVIA.

¡Vete!

LEONARDO.

Silencio. Que no nos sientan.
Tú delante. ¡Vamos, digo!

(Vacila la Novia.)

NOVIA.

¡Los dos juntos!

LEONARDO. *(Abrazándola.)*
¡Cómo quieras!
Si nos separan, será
porque esté muerto.

NOVIA.

>Y yo muerta.

>>*(Salen abrazados.)*

>*(Aparece la Luna muy despacio. La escena adquiere una fuerte luz azul. Se oyen los dos violines. Bruscamente se oyen dos largos gritos desgarrados, y se corta la música de los violines. Al segundo grito aparece la Mendiga y queda de espaldas. Abre el manto y queda en el centro como un gran pájaro de alas inmensas. La Luna se detiene. El telón baja en medio de un silencio absoluto.)*

Telón

CUADRO ÚLTIMO

Habitación blanca con arcos y gruesos muros. A la derecha y a la izquierda escaleras blancas. Gran arco al fondo y pared del mismo color. El suelo será también de un blanco reluciente. Esta habitación simple tendrá un sentido monumental de iglesia. No habrá ni un gris, ni una sombra, ni siquiera lo preciso para la perspectiva.

>*(Dos Muchachas vestidas de azul oscuro están devanando una madeja roja.)*

MUCHACHA 1.ª

>Madeja, madeja,
>¿qué quieres hacer?

MUCHACHA 2.ª

>Jazmín de vestido,
>cristal de papel.
>Nacer a las cuatro,
>morir a las diez.
>Ser hilo de lana,

cadena a tus pies
y nudo que apriete
amargo laurel.

NIÑA. *(Cantando.)*

¿Fuisteis a la boda?

MUCHACHA 1.ª

No.

NIÑA.

¡Tampoco fui yo!
¿Qué pasaría
por los tallos de las viñas?
¿Qué pasaría
por el ramo de la oliva?
¿Qué pasó
que nadie volvió?
¿Fuisteis a la boda?

MUCHACHA 2.ª

Hemos dicho que no.

NIÑA. *(Yéndose.)*

¡Tampoco fui yo!

MUCHACHA 2.ª

Madeja, madeja,
¿qué quieres cantar?

MUCHACHA 1.ª

Heridas de cera,
dolor de arrayán.
Dormir la mañana,
de noche velar.

NIÑA. *(En la puerta.)*

El hilo tropieza
con el pedernal.
Los montes azules
lo dejan pasar.
Corre, corre, corre,
y al fin llegará
a poner cuchillo
y a quitar el pan.

(Se va.)

MUCHACHA 2.ª
  Madeja, madeja,
  ¿qué quieres decir?

MUCHACHA 1.ª
  Amante sin habla.
  Novio carmesí.
  Por la orilla muda
  tendidos los vi.

(Se detiene mirando la madeja.)

NIÑA. *(Asomándose a la puerta.)*
  Corre, corre, corre,
  el hilo hasta aquí.
  Cubiertos de barro
  los siento venir.
  ¡Cuerpos estirados,
  paños de marfil!

(Se va.)

(Aparecen la Mujer y la Suegra de Leonardo. Llegan angustiadas.)

MUCHACHA 1.ª
  ¿Vienen ya?

SUEGRA. *(Agria.)*
  No sabemos.

MUCHACHA 2.ª
  ¿Qué contáis de la boda?

MUCHACHA 1.ª
  Dime.

SUEGRA. *(Seca.)*
  Nada.

MUJER.
  Quiero volver para saberlo todo.

SUEGRA. *(Enérgica.)*

    Tú, a tu casa.

    Valiente y sola en tu casa.

    A envejecer y a llorar.

    Pero la puerta cerrada.

    Nunca. Ni muerto ni vivo.

    Clavaremos las ventanas.

    Y vengan lluvias y noches

    sobre las hierbas amargas.

MUJER.

    ¿Qué habrá pasado?

SUEGRA.

    No importa.

    Échate un velo en la cara.

    Tus hijos son hijos tuyos

    nada más. Sobre la cama

    pon una cruz de ceniza

    donde estuvo su almohada.

                                   (Salen.)

MENDIGA. *(A la puerta.)*

    Un pedazo de pan, muchachas.

NIÑA.

    ¡Vete!

                  (Las Muchachas se agrupan.)

MENDIGA.

    ¿Por qué?

NIÑA.

    Porque tú gimes: vete.

MUCHACHA 1.ª

    ¡Niña!

MENDIGA.

    ¡Pude pedir tus ojos! Una nube

    de pájaros me sigue; ¿quieres uno?

NIÑA.

    ¡Yo me quiero marchar!

MUCHACHA 2.ª *(A la Mendiga.)*

    ¡No le hagas caso!

MUCHACHA 1.ª
>
> ¿Vienes por el camino del arroyo?

MENDIGA.
>
> ¡Por allí vine!

MUCHACHA 1.ª *(Tímida.)*
>
> ¿Puedo preguntarte?

MENDIGA.
>
> Yo los vi; pronto llegan: dos torrentes
> quietos al fin entre las piedras grandes,
> dos hombres en las patas del caballo.
> Muertos en la hermosura de la noche.
>
>   *(Con delectación.)*
>
> Muertos, sí, muertos.

MUCHACHA 1.ª
>
> ¡Calla, vieja, calla!

MENDIGA.
>
> Flores rotas los ojos, y sus dientes
> dos puñados de nieve endurecida.
> Los dos cayeron, y la novia vuelve
> teñida en sangre falda y cabellera.
> Cubiertos con dos mantas ellos vienen
> sobre los hombros de los mozos altos.
> Así fue; nada más. Era lo justo.
> Sobre la flor del oro, sucia arena.

> *(Se va. Las Muchachas inclinan las cabezas y
> rítmicamente van saliendo.)*

MUCHACHA 1.ª
>
> Sucia arena.

MUCHACHA 2.ª
>
> Sobre la flor del oro.

NIÑA.
>
> Sobre la flor del oro
> traen a los muertos del arroyo.
> Morenito el uno,
> morenito el otro.

¡Qué ruiseñor de sombra, vuela y gime
sobre la flor del oro!

*(Se va. Queda la escena sola. Aparece la Madre
con una Vecina. La Vecina viene llorando.)*

MADRE. Calla.

VECINA. No puedo.

MADRE. Calla, he dicho. *(En la puerta.)* ¿No hay nadie aquí?
(Se lleva las manos a la frente.) Debía contestarme mi hijo.
Pero mi hijo es ya un brazado de flores secas. Mi hijo es ya
una voz oscura detrás de los montes. *(Con rabia a la Vecina.)*
¿Te quieres callar? No quiero llantos en esta casa. Vuestras
lágrimas son lágrimas de los ojos nada más, y las mías vendrán cuando yo esté sola, de las plantas de mi pies, de mis
raíces, y serán más ardientes que la sangre.

VECINA. Vente a mi casa; no te quedes aquí.

MADRE. Aquí, aquí quiero estar. Y tranquila. Ya todos están
muertos. A media noche dormiré, dormiré sin que ya me
aterren la escopeta o el cuchillo. Otras madres se asomarán a
las ventanas, azotadas por la lluvia, para ver el rostro de sus
hijos. Yo no. Yo haré con mi sueño una fría paloma de
marfil que lleve camelias de escarcha sobre el camposanto.
Pero no; camposanto no, camposanto no: lecho de tierra,
cama que los cobija y que los mece por el cielo. *(Entra una
Mujer de negro que se dirige a la derecha y allí se arrodilla. A la
Vecina.)* Quítate las manos de la cara. Hemos de pasar días
terribles. No quiero ver a nadie. La Tierra y yo. Mi llanto y
yo. Y estas cuatro paredes. ¡Ay! ¡Ay! *(Se sienta transida.)*

VECINA. Ten caridad de ti misma.

MADRE. *(Echándose el pelo hacia atrás.)* He de estar serena. *(Se
sienta.)* Porque vendrán las vecinas y no quiero que me vean
tan pobre. ¡Tan pobre! Una mujer que no tiene un hijo siquiera que poderse llevar a los labios.

*(Aparece la Novia. Viene sin azahar y con un
manto negro.)*

VECINA. *(Viendo a la Novia, con rabia.)* ¿Dónde vas?

NOVIA. Aquí vengo.

MADRE. *(A la Vecina.)* ¿Quién es?

VECINA. ¿No la reconoces?

MADRE. Por eso pregunto quién es. Porque tengo que no reconocerla, para no clavarle mis dientes en el cuello. ¡Víbora! *(Se dirige hacia la Novia con ademán fulminante; se detiene. A la Vecina.)* ¿La ves? Está ahí, y está llorando, y yo quieta sin arrancarle los ojos. No me entiendo. ¿Será que yo no quería a mi hijo? Pero ¿y su honra? ¿Dónde está su honra? *(Golpea a la Novia. Ésta cae al suelo.)*

VECINA. ¡Por Dios! *(Trata de separarlas.)*

NOVIA. *(A la Vecina.)* Déjala; he venido para que me mate y que me lleven con ellos. *(A la Madre.)* Pero no con las manos; con garfios de alambre, con una hoz, y con fuerza, hasta que se rompa en mis huesos. ¡Déjala! Que quiero que sepa que yo soy limpia, que estaré loca, pero que me pueden enterrar sin que ningún hombre se haya mirado en la blancura de mis pechos.

MADRE. Calla, calla; ¿qué me importa eso a mí?

NOVIA. ¡Porque yo me fui con el otro, me fui! *(Con angustia.)* Tú también te hubieras ido. Yo era una mujer quemada, llena de llagas por dentro y por fuera, y tu hijo era un poquito de agua de la que yo esperaba hijos, tierra, salud; pero el otro era un río oscuro, lleno de ramas que acercaba a mí el rumor de sus juncos y su cantar entre dientes. Y yo corría con tu hijo que era como un niñito de agua fría y el otro me mandaba cientos de pájaros que me impedían el andar y que dejaban escarcha sobre mis heridas de pobre mujer marchita, de muchacha acariciada por el fuego. Yo no quería, ¡óyelo bien!; yo no quería. ¡Tu hijo era mi fin y yo no lo he engañado, pero el brazo del otro me arrastró como un golpe de mar, como la cabezada de un mulo, y me hubiera arrastrado siempre, siempre, siempre, aunque hubiera sido vieja y todos los hijos de tu hijo me hubiesen agarrado de los cabellos! *(Entra una Vecina.)*

MADRE. Ella no tiene la culpa, ¡ni yo! *(Sarcástica.)* ¿Quién la tiene, pues? ¡Floja, delicada, mujer de mal dormir, es quien tira una corona de azahar para buscar un pedazo de cama calentado por otra mujer!

NOVIA. ¡Calla, calla! Véngate de mí; ¡aquí estoy! Mira que mi cuello es blando; te costará menos trabajo que segar una dalia de tu huerto. Pero ¡eso no! Honrada, honrada como una niña recién nacida. Y fuerte para demostrártelo. Enciende la lumbre. Vamos a meter las manos; tú, por tu hijo, yo, por mi cuerpo. Las retirarás antes tú. *(Entra otra Vecina.)*

MADRE. Pero ¿qué me importa a mí tu honradez? ¿Qué me importa tu muerte? ¿Qué me importa a mí nada de nada? Benditos sean los trigos, porque mis hijos están debajo de ellos; bendita sea la lluvia, porque moja la cara de los muertos. Bendito sea Dios, que nos tiende juntos para descansar. *(Entra otra Vecina.)*

NOVIA. Déjame llorar contigo.

MADRE. Llora. Pero en la puerta.

> *(Entra la Niña. La Novia queda en la puerta. La Madre, en el centro de la escena.)*

MUJER. *(Entrando y dirigiéndose a la izquierda.)*
> Era hermoso jinete,
> y ahora montón de nieve.
> Corrió ferias y montes
> y brazos de mujeres.
> Ahora, musgo de noche
> le corona la frente.

MADRE.
> Girasol de tu madre,
> espejo de la tierra.
> Que te pongan al pecho
> cruz de amargas adelfas;
> sábana que te cubra
> de reluciente seda,
> y el agua forme un llanto
> entre tus manos quietas.

MUJER.
>   ¡Ay, que cuatro muchachos
>   llegan con hombros cansados!

NOVIA.
>   ¡Ay, que cuatro galanes
>   traen a la muerte por el aire!

MADRE.
>   Vecinas.

NIÑA. *(En la puerta.)*
>   Ya los traen.

MADRE.
>   Es lo mismo.
>   La cruz, la cruz.

MUJERES.
>   Dulces clavos,
>   dulce cruz,
>   dulce nombre
>   de Jesús.

NOVIA.
>   Que la cruz ampare a muertos y a vivos.

MADRE.
>   Vecinas: con un cuchillo,
>   con un cuchillito,
>   en un día señalado, entre las dos y las tres,
>   se mataron los dos hombres del amor.
>   Con un cuchillo,
>   con un cuchillito
>   que apenas cabe en la mano,
>   pero que penetra fino
>   por las carnes asombradas,
>   y que se para en el sitio
>   donde tiembla enmarañada
>   la oscura raíz del grito.
>   Y esto es un cuchillo,
>   un cuchillito
>   que apenas cabe en la mano;
>   pez sin escamas ni río,
>   para que un día señalado, entre las dos y las tres,

con este cuchillo
se queden dos hombres duros
con los labios amarillos.
Y apenas cabe en la mano,
pero que penetra frío
por las carnes asombradas
y allí se para, en el sitio
donde tiembla enmarañada
la oscura raíz del grito.

(Las Vecinas, arrodilladas en el suelo, lloran.)

Telón

Declaraciones

Conversación con Federico García Lorca

Tres años hace que rodó La Barraca *por Valencia. De aquella noche vibrante de* Fuente Ovejuna, *en la Libertad, acá, el poeta que hace de cinco lavanderas cinco Góngoras, según la expresión feliz de Alejandro Gaos, ha recorrido mucho mundo..*

Encuentro al poeta dramaturgo en el cuarto del Principal de Margarita Xirgu, la actriz única. Examina los figurines que acaban de traerle para Bodas de sangre. *Los ha dibujado, prodigiosamente, un muchachillo, un niño casi, José Caballero, que aprendió al lado de Vázquez Díaz y que ya dio una muestra de su llama ilustrando* Llanto por Sánchez Mejías [sic].

—Dígame, Federico, para la mejor comprensión de su teatro por el público, si sus tipos y, en general, los personajes de sus dramas, son reales o simbólicos.

—Son reales, desde luego. Pero todo tipo real encarna un símbolo. Y yo pretendo hacer de mis personajes un hecho poético, aunque los haya visto alentar alrededor mío. Son una realidad estética. Por esa razón gustan tanto a Salvador Dalí y a los surrealistas.

—La burguesía y la gran mesocracia, que componen la zona más extensa del público —los obreros no van al teatro— le reprochan la crudeza de lenguaje.

—No hay tal crudeza. So pena que se llame así a trasplantar la vida como es. Las gentes a quienes espanta mi realidad son fariseos que viven, sin asustarse, la misma realidad de mi teatro.

—También una porción de crítica le acusa de cierto prurito de querer epatar con palabras y expresiones que parecen escandalosas.

—Las empleo porque me salen de dentro. Sin fingimiento ni cálculo malicioso. Pero, además, una de las finalidades que persigo con mi teatro es precisamente aspaventar y aterrar un poco. Estoy seguro y contento de escandalizar. Quiero provocar revulsivos, a ver si se vomita de una vez todo lo malo del teatro actual.

–*¿Qué labor inmediata prepara?*

–Me salen al camino –de autor que empieza a andar– una montaña de cosas por hacer. Voy a llevar a la escena temas horribles. El público a que usted ha aludido antes se va a aspaventar mucho más.

–*Yo pienso que no –interviene Rivas Cherif, que nos escucha– porque para entonces ya habrá cambiado la sociedad española.*

–Tengo un asunto de incesto, *La sangre no tiene voz*, ante cuya crudeza y violencia de pasiones *Yerma* tiene un lenguaje de arcángeles.

–*Dígame algo de* Doña Rosita.

–*Doña Rosita* es un drama sencillo con apariencia de comedia blanca. Un drama doliente para familias. Una elegía, matizada y triste, de la mujer soltera. En la casa donde no hay una, hay dos. Siempre me ha causado una gran pena ver en España que para que una muchacha se case necesitan sacrificarse veinte vírgenes.

–*¿Cuáles son los puntos cardinales del teatro en nuestros días?*

–Hoy no interesan más que dos clases de problemas: el social y el sexual. La obra que no siga una de esas direcciones está condenada al fracaso, aunque sea muy buena. Yo hago lo sexual que me atrae más. Pudiera escribir otras cosas porque es ése mi gusto intelectual. Pero prefiero hacerme con ellas un bonito libro. Dada la preocupación del mundo contemporáneo, con otra clase de asuntos, por ahora, no se puede especular en la escena viva.

–*¿Qué inspiraciones o fuentes, aparte del modelo griego, tiene su teatro?*

–La raíz de mi teatro es calderoniana. Teatro de magia. En la romería de *Yerma* salto de lo real a lo real simbólico, en el sentido poético de obtener ideas vestidas, no puros símbolos. Entre mis ecos han notado la huella de Lope, pero se les ha escapado la sombra de Quevedo en mi amargura. Yo soy un poeta telúrico, un hombre agarrado a la tierra, que toda creación la saca de su manantial.

–*A su juicio, ¿cuál es su mayor acierto en* Yerma?

–Creo haber tenido varios. El mejor acto es el de las dos mujeres enlutadas. Aunque para mí lo más interesante de mi drama es el proceso obsesivo de la mujer, que habla igual desde que sale hasta que desaparece, y que he cuidado de acompañarla de una musicalidad monótona.

–*Si me consiente, me gustaría oponerle a* Yerma *algunos reparos que me asaltan.*

–Me alegra que se me discuta más que imponerme sin discusión.

–*Por ejemplo, he echado de menos un hombre con más seguridad en la réplica y con más conciencia de su destino que el marido.*

–Si pongo un hombre de pelo en pecho, me ahoga el drama de *Yerma.* El marido es «un hombre débil y sin voluntad». No lo he querido presentar de otra manera porque hubiera sido desplazar el drama de la protagonista, con lo que habría resultado una obra distinta de la que concebí. Lo que me propuse hacer fue el drama de la casada seca solamente.

–*Al lado de la angustia y del misterio del hijo desconocido, considero un drama pequeño el de la mujer que quiere tener un hijo... El drama lo veo precisamente en la zozobra del hijo temido que no viene...*

–He recibido cartas de ginecólogos y neurólogos ilustres que dan autoridad y fe clínica a mi caso. Deliberadamente he cuidado de eliminar todo producto de elaboración mental. No me interesa. Tengo dos obras que no doy por demasiado intelectuales. Entrego ésta al fresco instinto, al gemido más primario de la naturaleza. Pude plantear un conflicto, hacer una obra de tesis. No quise. Nada de análisis, que es lo que más fácilmente hubiera logrado con mi disposición psicológica para ahondar de un modo tremendo en las causas.

–*¿Por qué en la estructura elemental de sus temas da tanto espectáculo, atmósfera exterior y vistosa? ¿Por qué lleva los coros a escena?*

–El coro lo utilizo para dar el argumento. Trato de evitar que el poeta desmenuce su sentido preciso, para no incurrir en lentitud, porque tengo la preocupación de que todo tenga un gran ritmo.

–*Políticamente –ya que toda actitud, incluso del arte, es política– su drama es insurgente; pero en realidad puede parecer reaccionario, porque se mantienen criterios «conservadores» como el de la honra tipo.*

–Yo soy cristiano. Mi protagonista tiene limitado su arbitrio, encadenada por el concepto, que va disuelto en su sangre, de la honra españolísima.

–*¿Y cómo se explica hacer la exaltación de un instinto que cae vencido por una convención?*

–Yerma es un ser desgarrado, un personaje que canta su instinto y su exaltación dolorida a la Naturaleza. Porque hay dos naturalezas para los seres humanos: la naturaleza que los sostiene, hermana y madre, y la naturaleza sorda, enemiga del hombre, arrollando a miles de criaturas que no están conformes con sus leyes.

–*Se le atribuye un teatro sensorial.*

–Mi tragedia no se restringe a porciones de naturaleza e instinto. Cuando mi protagonista está sola con Víctor, exclama, tras un silencio: «¿No sientes llorar a un niño?». Lo que significa que aflora la ilusión prendida a sus recuerdos de adolescencia, del eco subconsciente que lleva dentro. Otros atisbos psicológicos hay en mi obra, apenas insinuados, que no he querido acentuar. «Cuando paso por el cobertizo a dar de comer a los bueyes –que antes Yerma no lo hacía–, mis pasos me suenan a pasos de hombre.» No subrayo estas notas para que siga el curso primario en el personaje, el impulso sólo de la pasión.

–*¿Qué misión cumple su metáfora?*

–Mi teatro tiene dos planos: una vertiente del poeta, que analiza y que hace que sus personajes se encuentren para producir la idea subterránea, que yo doy al «buen entendedor», y el plano natural de la línea melódica, que toma el público sencillo para quien mi teatro físico es un gozo, un ejemplo y siempre una enseñanza. El hombre que dice que «ahonde» el marido, a la mujer marchita, expresa una doble idea, como la que surge de la interpretación del crepúsculo. Mientras para el campesino es un signo exterior del Universo, en el que agoniza la luz y le señala la hora de cesar en el trabajo y de comer, el espectador agudo y sentidor se ve reposando en un ataúd con los gusanos eternos.

–*¿Cuál es su actitud y su esfuerzo reflexivo en el advenimiento de un teatro revolucionario popular?*

–De eso no quiero yo hablar todavía. Es prematuro. Aspiro a enseñar al pueblo y a influir en él. Tengo ansia por que me quieran las grandes masas. Es una idea nietzscheana. Por eso a mí Nietzsche me lastima el corazón.

–*Pero ¿qué extensión popular, qué innovación revolucionaria, subversiva, aporta su teatro?*

–En lo formal, acabo de terminar un acto completamente subversivo que supone una verdadera revolución de la técnica, un gran avance.

–*¿Con qué asunto?*

–Un tema social, mezclado de religioso, en el que irrumpe mi angustia constante del más allá.

–*Algún crítico ha dicho que se halla su teatro lejos de lo esencial del drama popular. Que no posee un verdadero pensamiento dramático. Que no acierta a descubrir la tragedia agazapada en el pueblo...*

–No lo intento ahora, aunque lo estoy rondando. Yo creo, por el contrario, que la médula de mi obra es de dramaturgo y me desasosiega dar a luz la tragedia soterrada. Ha de reconocérseme, no sólo un inicial arranque o grito sombrío, sino alguna revelación sutil que sale de la sombra.

–*Pero, ¿qué autoridad tienen aquellos que han expresado su juicio de que la gracia de su voz poética no hiere el meollo de la tragedia, el recio hondón manadero?*

–Yo no he alcanzado un plano de madurez aún. Sería una exigencia desmesurada pedirme obras definitivas y geniales. Me considero todavía un auténtico novel. Estoy aprendiendo a manejarme en mi oficio. *Yerma* es mi cuarta obra. Hay que ascender por peldaños. Nadie se encarama de pronto en lo alto de una escalera. Lo contrario, es pedir a mi naturaleza

y a mi desarrollo espiritual y mental lo que ningún autor da
hasta mucho más tarde. Sin embargo, alrededor de *Yerma*, ha
hecho notar un crítico italiano, se ha movido la misma discusión que en torno a *Casa de muñecas*. A Lenormand y a Kái-
ser creo haber superado yo. Los críticos que me niegan –con
los que nunca dialogo, porque cada uno tiene su razón– serán los primeros en rectificarse, porque tengo mucho interesante que decir. Mi obra apenas está comenzada. La veo a
lo lejos, como un orbe denso, con firmeza de pulso para acer-
carme a ella.

Ricardo G. Luengo
15 de noviembre de 1935

Yerma

Poema trágico en tres actos
y seis cuadros

Personajes

YERMA

MARÍA

VIEJA PAGANA

DOLORES

LAVANDERA PRIMERA

LAVANDERA SEGUNDA

LAVANDERA TERCERA

LAVANDERA CUARTA

LAVANDERA QUINTA

LAVANDERA SEXTA

MUCHACHA PRIMERA

MUCHACHA SEGUNDA

HEMBRA

CUÑADA PRIMERA

CUÑADA SEGUNDA

MUJER PRIMERA

MUJER SEGUNDA

NIÑOS

JUAN

VÍCTOR

MACHO

HOMBRE PRIMERO

HOMBRE SEGUNDO

HOMBRE TERCERO

Acto primero

CUADRO PRIMERO

Al levantarse el telón está Yerma dormida con un tabaque de costura a los pies. La escena tiene una extraña luz de sueño. Un Pastor sale de puntillas, mirando fijamente a Yerma. Lleva de la mano a un Niño vestido de blanco. Suena el reloj. Cuando sale el Pastor, la luz azul se cambia por una alegre luz de mañana de primavera. Yerma se despierta.

CANTO. *(Voz dentro.)*

> A la nana, nana, nana,
> a la nanita le haremos
> una chocita en el campo
> y en ella nos meteremos.

YERMA. Juan. ¿Me oyes? Juan.

JUAN. Voy.

YERMA. Ya es la hora.

JUAN. ¿Pasaron las yuntas?

YERMA. Ya pasaron todas.

JUAN. Hasta luego. *(Va a salir.)*

YERMA. ¿No tomas un vaso de leche?

JUAN. ¿Para qué?

YERMA. Trabajas mucho y no tienes tú cuerpo para resistir los trabajos.

JUAN. Cuando los hombres se quedan enjutos se ponen fuertes, como el acero.

YERMA. Pero tú no. Cuando nos casamos eras otro. Ahora tienes la cara blanca como si no te diera en ella el sol. A mí me gustaría que fueras al río y nadaras, y que te subieras al tejado cuando la lluvia cala nuestra vivienda. Veinticuatro meses llevamos casados y tú cada vez más triste, más enjuto, como si crecieras al revés.

JUAN. ¿Has acabado?

YERMA. *(Levantándose.)* No lo tomes a mal. Si yo estuviera enferma me gustaría que tú me cuidases. «Mi mujer está enferma: voy a matar este cordero para hacerle un buen guiso de carne. Mi mujer está enferma: voy a guardar esta enjundia de gallina para aliviar su pecho; voy a llevarle esta piel de oveja para guardar sus pies de la nieve.» Así soy yo. Por eso te cuido.

JUAN. Y yo te lo agradezco.

YERMA. Pero no te dejas cuidar.

JUAN. Es que no tengo nada. Todas esas cosas son suposiciones tuyas. Trabajo mucho. Cada año seré más viejo.

YERMA. Cada año... Tú y yo seguiremos aquí cada año...

JUAN. *(Sonriente.)* Naturalmente. Y bien sosegados. Las cosas de la labor van bien, no tenemos hijos que gasten.

YERMA. No tenemos hijos... ¡Juan!

JUAN. Dime.

YERMA. ¿Es que yo no te quiero a ti?

JUAN. Me quieres.

YERMA. Yo conozco muchachas que han temblado y que lloraron antes de entrar en la cama con sus maridos. ¿Lloré yo la primera vez que me acosté contigo? ¿No cantaba al levantar los embozos de holanda? ¿Y no te dije: «¡Cómo huelen a manzana estas ropas!»?

JUAN. ¡Eso dijiste!

YERMA. Mi madre lloró porque no sentí separarme de ella. ¡Y era verdad! Nadie se casó con más alegría. Y sin embargo...

JUAN. Calla.

YERMA. Y sin embargo...

JUAN. Calla. Demasiado trabajo tengo yo con oír en todo momento...

YERMA. No. No me repitas lo que dicen. Yo veo por mis ojos que eso no puede ser... A fuerza de caer la lluvia sobre las piedras éstas se ablandan y hacen crecer jaramagos, que las gentes dicen que no sirven para nada. Los jaramagos no sirven para nada, pero yo bien los veo mover sus flores amarillas en el aire.

JUAN. ¡Hay que esperar!

YERMA. ¡Sí, queriendo! *(Yerma abraza y besa al Marido, to-mando ella la iniciativa.)*

JUAN. Si necesitas algo me lo dices y lo traeré. Ya sabes que no me gusta que salgas.

YERMA. Nunca salgo.

JUAN. Estás mejor aquí.

YERMA. Sí.

JUAN. La calle es para la gente desocupada.

YERMA. *(Sombría.)* Claro.

> *(El Marido sale y Yerma se dirige a la costura, se pasa la mano por el vientre, alza los brazos en un hermoso bostezo y se sienta a coser.)*

¿De dónde vienes, amor, mi niño?
«De la cresta del duro frío.»

> *(Enhebra la aguja.)*

¿Qué necesitas, amor, mi niño?
«La tibia tela de tu vestido.»
¡Que se agiten los ramos al sol
y salten las fuentes alrededor!

> *(Como si hablara con un niño.)*

En el patio ladra el perro,
en los árboles canta el viento.
Los bueyes mugen al boyero
y la luna me riza los cabellos.
¿Qué pides, niño, desde tan lejos?

> *(Pausa.)*

«Los blancos montes que hay en tu pecho.»

¡Que se agiten los ramos al sol
y salten las fuentes alrededor!

> *(Cosiendo.)*

Te diré, niño mío, que sí.
Tronchada y rota soy para ti.
¡Cómo me duele esta cintura
donde tendrás primera cuna!
¿Cuándo, mi niño, vas a venir?

(Pausa.)

«Cuando tu carne huela a jazmín.»

¡Que se agiten los ramos al sol
y salten las fuentes alrededor!

(Yerma queda cantando. Por la puerta entra
María, que viene con un lío de ropa.)

¿De dónde vienes?
MARÍA. De la tienda.
YERMA. ¿De la tienda tan temprano?
MARÍA. Por mi gusto hubiera esperado en la puerta a que
abrieran. ¿Y a que no sabes lo que he comprado?
YERMA. Habrás comprado café para el desayuno, azúcar, los
panes.
MARÍA. No. He comprado encajes, tres varas de hilo, cintas y
lana de color para hacer madroños. El dinero lo tenía mi
marido y me lo ha dado él mismo.
YERMA. Te vas a hacer una blusa.
MARÍA. No, es porque... ¿sabes?
YERMA. ¿Qué?
MARÍA. Porque ¡ya ha llegado! *(Queda con la cabeza baja.)*

(Yerma se levanta y queda mirándola con ad-
miración.)

YERMA. ¡A los cinco meses!
MARÍA. Sí.
YERMA. ¿Te has dado cuenta de ello?
MARÍA. Naturalmente.
YERMA. *(Con curiosidad.)* ¿Y qué sientes?
MARÍA. No sé. *(Pausa.)* Angustia.

YERMA. Angustia. *(Agarrada a ella.)* Pero... ¿cuándo llegó? Dime... Tú estabas descuidada...

MARÍA. Sí, descuidada...

YERMA. Estarías cantando, ¿verdad? Yo canto. ¿Tú?..., dime.

MARÍA. No me preguntes. ¿No has tenido nunca un pájaro vivo apretado en la mano?

YERMA. Sí.

MARÍA. Pues lo mismo... pero por dentro de la sangre.

YERMA. ¡Qué hermosura! *(La mira extraviada.)*

MARÍA. Estoy aturdida. No sé nada.

YERMA. ¿De qué?

MARÍA. De lo que tengo que hacer. Le preguntaré a mi madre.

YERMA. ¿Para qué? Ya está vieja y habrá olvidado estas cosas. No andes mucho y cuando respires respira tan suave como si tuvieras una rosa entre los dientes.

MARÍA. Oye, dicen que más adelante te empuja suavemente con las piernecitas.

YERMA. Y entonces es cuando se le quiere más, cuando se dice ya ¡mi hijo!

MARÍA. En medio de todo tengo vergüenza.

YERMA. ¿Qué ha dicho tu marido?

MARÍA. Nada.

YERMA. ¿Te quiere mucho?

MARÍA. No me lo dice, pero se pone junto a mí y sus ojos tiemblan como dos hojas verdes.

YERMA. ¿Sabía él que tú...?

MARÍA. Sí.

YERMA. ¿Y por qué lo sabía?

MARÍA. No sé. Pero la noche que nos casamos me lo decía constantemente con su boca puesta en mi mejilla, tanto que a mí me parece que mi niño es un palomo de lumbre que él me deslizó por la oreja.

YERMA. ¡Dichosa!

MARÍA. Pero tú estás más enterada de esto que yo.

YERMA. ¿De qué me sirve?

MARÍA. ¡Es verdad! ¿Por qué será eso? De todas las novias de tu tiempo tú eres la única...

YERMA. Es así. Claro que todavía es tiempo. Elena tardó tres años, y otras antiguas, del tiempo de mi madre, mucho más, pero dos años y veinte días, como yo, es demasiada espera. Pienso que no es justo que yo me consuma aquí. Muchas veces salgo descalza al patio para pisar la tierra, no sé por qué. Si sigo así, acabaré volviéndome mala.

MARÍA. ¡Pero ven acá, criatura! Hablas como si fueras una vieja. ¡Qué digo! Nadie puede quejarse de estas cosas. Una hermana de mi madre lo tuvo a los catorce años, ¡y si vieras qué hermosura de niño!

YERMA. *(Con ansiedad.)* ¿Qué hacía?

MARÍA. Lloraba como un torito, con la fuerza de mil cigarras cantando a la vez, y nos orinaba y nos tiraba de las trenzas y, cuando tuvo cuatro meses, nos llenaba la cara de arañazos.

YERMA. *(Riendo.)* Pero esas cosas no duelen.

MARÍA. Te diré...

YERMA. ¡Bah! Yo he visto a mi hermana dar de mamar a su niño con el pecho lleno de grietas y le producía un gran dolor, pero era un dolor fresco, bueno, necesario para la salud.

MARÍA. Dicen que con los hijos se sufre mucho.

YERMA. Mentira. Eso lo dicen las madres débiles, las quejumbrosas. ¿Para qué los tienen? Tener un hijo no es tener un ramo de rosas. Hemos de sufrir para verlos crecer. Yo pienso que se nos va la mitad de nuestra sangre. Pero esto es bueno, sano, hermoso. Cada mujer tiene sangre para cuatro o cinco hijos, y cuando no los tienen se les vuelve veneno, como me va a pasar a mí.

MARÍA. No sé lo que tengo.

YERMA. Siempre oí decir que las primerizas tienen susto.

MARÍA. *(Tímida.)* Veremos... Como tú coses tan bien...

YERMA. *(Cogiendo el lío.)* Trae. Te cortaré los trajecitos. ¿Y esto?

MARÍA. Son los pañales.

YERMA. Bien. *(Se sienta.)*

MARÍA. Entonces... Hasta luego.

> *(Se acerca y Yerma le coge amorosamente el vientre con las manos.)*

YERMA. No corras por las piedras de la calle.

MARÍA. Adiós. *(La besa. Sale.)*

YERMA. ¡Vuelve pronto! *(Yerma queda en la misma actitud que al principio. Coge las tijeras y empieza a cortar. Sale Víctor.)* Adiós, Víctor.

VÍCTOR. *(Es profundo y lleno de firme gravedad.)* ¿Y Juan?

YERMA. En el campo.

VÍCTOR. ¿Qué coses?

YERMA. Corto unos pañales.

VÍCTOR. *(Sonriente.)* ¡Vamos!

YERMA. *(Ríe.)* Los voy a rodear de encajes.

VÍCTOR. Si es niña le pondrás tu nombre.

YERMA. *(Temblando.)* ¿Cómo?...

VÍCTOR. Me alegro por ti.

YERMA. *(Casi ahogada.)* No..., no son para mí. Son para el hijo de María.

VÍCTOR. Bueno, pues a ver si con el ejemplo te animas. En esta casa hace falta un niño.

YERMA. *(Con angustia.)* Hace falta.

VÍCTOR. Pues adelante. Dile a tu marido que piense menos en el trabajo. Quiere juntar dinero y lo juntará, pero ¿a quién lo va a dejar cuando se muera? Yo me voy con las ovejas. Le dices a Juan que recoja las dos que me compró. Y en cuanto a lo otro..., ¡que ahonde! *(Se va sonriente.)*

YERMA. *(Con pasión.)* Eso; ¡que ahonde!

> *(Yerma, que en actitud pensativa se levanta y acude al sitio donde ha estado Víctor y respira fuertemente como si aspirara aire de montaña, después va al otro lado de la habitación, como buscando algo, y de allí vuelve a sentarse y coge otra vez la costura. Comienza a coser y queda con los ojos fijos en un punto.)*

Te diré, niño mío, que sí.
Tronchada y rota soy para ti.
¡Cómo me duele esta cintura

donde tendrás primera cuna!
¿Cuándo, mi niño, vas a venir?
«¡Cuando tu carne huela a jazmín!»

Telón

CUADRO II

Campo. Sale Yerma. Trae una cesta.

Sale la Vieja 1.ª

YERMA. Buenos días.

VIEJA. Buenos los tenga la hermosa muchacha. ¿Dónde vas?

YERMA. Vengo de llevar la comida a mi esposo, que trabaja en los olivos.

VIEJA. ¿Llevas mucho tiempo de casada?

YERMA. Tres años.

VIEJA. ¿Tienes hijos?

YERMA. No.

VIEJA. ¡Bah! ¡Ya tendrás!

YERMA. *(Con ansia.)* ¿Usted lo cree?

VIEJA. ¿Por qué no? *(Se sienta.)* También yo vengo de traer la comida a mi esposo. Es viejo. Todavía trabaja. Tengo nueve hijos como nueve soles, pero, como ninguno es hembra, aquí me tienes a mí de un lado para otro.

YERMA. Usted vive al otro lado del río.

VIEJA. Sí. En los molinos. ¿De qué familia eres tú?

YERMA. Yo soy hija de Enrique el pastor.

VIEJA. ¡Ah! Enrique el pastor. Lo conocí. Buena gente. Levantarse, sudar, comer unos panes y morirse. Ni más juego, ni más nada. Las ferias para otros. Criaturas de silencio. Pude haberme casado con un tío tuyo. Pero ¡ca! Yo he sido una mujer de faldas en el aire, he ido flechada a la tajada de melón, a la fiesta, a la torta de azúcar. Muchas veces me he asomado de madrugada a la puerta creyendo oír música de bandurrias que iba, que venía, pero era el aire. *(Ríe.)* Te vas a reír de mí. He tenido dos maridos, catorce hijos, seis murieron, y sin embargo no estoy triste y quisiera vivir mucho más. Es lo que digo yo: las higueras, ¡cuánto duran!; las casas, ¡cuánto duran!; y sólo nosotras, las endemoniadas mujeres, nos hacemos polvo por cualquier cosa.

YERMA. Yo quisiera hacerle una pregunta.

VIEJA. ¿A ver? *(La mira.)* Ya sé lo que me vas a decir. De estas cosas no se puede decir palabra. *(Se levanta.)*

YERMA. *(Deteniéndola.)* ¿Por qué no? Me ha dado confianza el oírla hablar. Hace tiempo estoy deseando tener conversación con mujer vieja. Porque yo quiero enterarme. Sí. Usted me dirá...

VIEJA. ¿Qué?

YERMA. *(Bajando la voz.)* Lo que usted sabe. ¿Por qué estoy yo seca? ¿Me he de quedar en plena vida para cuidar aves o poner cortinitas planchadas en mi ventanillo? No. Usted me ha de decir lo que tengo que hacer, que yo haré lo que sea; aunque me mande clavarme agujas en el sitio más débil de mis ojos.

VIEJA. ¿Yo? Yo no sé nada. Yo me he puesto boca arriba y he comenzado a cantar. Los hijos llegan como el agua. ¡Ay! ¿Quién puede decir que este cuerpo que tienes no es hermoso? Pisas, y al fondo de la calle relincha el caballo. ¡Ay! Déjame, muchacha, no me hagas hablar. Pienso muchas ideas que no quiero decir.

YERMA. ¿Por qué? Con mi marido no hablo de otra cosa.

VIEJA. Oye. ¿A ti te gusta tu marido?

YERMA. ¿Cómo?

VIEJA. ¿Que si lo quieres? ¿Si deseas estar con él?...

YERMA. No sé.

VIEJA. ¿No tiemblas cuando se acerca a ti? ¿No te da así como un sueño cuando acerca sus labios? Dime.

YERMA. No. No lo he sentido nunca.

VIEJA. ¿Nunca? ¿Ni cuando has bailado?

YERMA. *(Recordando.)* Quizá... Una vez... Víctor...

VIEJA. Sigue.

YERMA. Me cogió de la cintura y no pude decirle nada porque no podía hablar. Otra vez, el mismo Víctor, teniendo yo catorce años (él era un zagalón), me cogió en sus brazos para saltar una acequia y me entró un temblor que me sonaron los dientes. Pero es que yo he sido vergonzosa.

VIEJA. ¿Y con tu marido?...

YERMA. Mi marido es otra cosa. Me lo dio mi padre y yo lo acepté. Con alegría. Ésta es la pura verdad. Pues el primer día que me puse novia con él ya pensé... en los hijos... Y me miraba en sus ojos. Sí, pero era para verme muy chica, muy manejable, como si yo misma fuera hija mía.

VIEJA. Todo lo contrario que yo. Quizá por eso no hayas parido a tiempo. Los hombres tienen que gustar, muchacha. Han de deshacernos las trenzas y darnos de beber agua en su misma boca. Así corre el mundo.

YERMA. El tuyo, que el mío, no. Yo pienso muchas cosas, muchas, y estoy segura que las cosas que pienso las ha de realizar mi hijo. Yo me entregué a mi marido por él, y me sigo entregando para ver si llega, pero nunca por divertirme.

VIEJA. ¡Y resulta que estás vacía!

YERMA. No, vacía no, porque me estoy llenando de odio. Dime, ¿tengo yo la culpa? ¿Es preciso buscar en el hombre el hombre nada más? Entonces, ¿qué vas a pensar cuando te deja en la cama con los ojos tristes mirando al techo y da media vuelta y se duerme? ¿He de quedarme pensando en él o en lo que puede salir relumbrando de mi pecho? Yo no sé, pero dímelo tú, por caridad. *(Se arrodilla.)*

VIEJA. ¡Ay qué flor abierta! ¡Qué criatura tan hermosa eres! Déjame. No me hagas hablar más. No quiero hablarte más. Son asuntos de honra y yo no quemo la honra de nadie. Tú sabrás. De todos modos, debías ser menos inocente.

YERMA. *(Triste.)* Las muchachas que se crían en el campo, como yo, tienen cerradas todas las puertas. Todo se vuelven medias palabras, gestos, porque todas estas cosas dicen que no se pueden saber. Y tú también, tú también te callas y te vas con aire de doctora, sabiéndolo todo, pero negándolo a la que se muere de sed.

VIEJA. A otra mujer serena yo le hablaría. A ti, no. Soy vieja y sé lo que digo.

YERMA. Entonces, que Dios me ampare.

VIEJA. Dios, no. A mí no me ha gustado nunca Dios. ¿Cuándo os vais a dar cuenta de que no existe? Son los hombres los que te tienen que amparar.

YERMA. Pero ¿por qué me dices eso?, ¿por qué?

VIEJA. *(Yéndose.)* Aunque debía haber Dios, aunque fuera pequeñito, para que mandara rayos contra los hombres de simiente podrida que encharcan la alegría de los campos.

YERMA. No sé lo que me quieres decir.

VIEJA. *(Sigue.)* Bueno, yo me entiendo. No pases tristeza. Espera en firme. Eres muy joven todavía. ¿Qué quieres que haga yo? *(Se va.)*

(Aparecen dos Muchachas.)

MUCHACHA 1.ª Por todas partes nos vamos encontrando gente.

YERMA. Con las faenas, los hombres están en los olivos, hay que traerles de comer. No quedan en las casas más que los ancianos.

MUCHACHA 2.ª ¿Tú regresas al pueblo?

YERMA. Hacia allá voy.

MUCHACHA 1.ª Yo llevo mucha prisa. Me dejé al niño dormido y no hay nadie en casa.

YERMA. Pues aligera, mujer. Los niños no se pueden dejar solos. ¿Hay cerdos en tu casa?

MUCHACHA 1.ª No. Pero tienes razón. Voy deprisa.

YERMA. Anda. Así pasan las cosas. Seguramente lo has dejado encerrado.

MUCHACHA 1.ª Es natural.

YERMA. Sí, pero es que no os dais cuenta lo que es un niño pequeño. La causa que nos parece más inofensiva puede acabar con él. Una agujita, un sorbo de agua.

MUCHACHA 1.ª Tienes razón. Voy corriendo. Es que no me doy bien cuenta de las cosas.

YERMA. Anda.

MUCHACHA 2.ª Si tuvieras cuatro o cinco, no hablarías así.

YERMA. ¿Por qué? Aunque tuviera cuarenta.

MUCHACHA 2.ª De todos modos, tú y yo, con no tenerlos, vivimos más tranquilas.

YERMA. Yo, no.

MUCHACHA 2.ª Yo, sí. ¡Qué afán! En cambio mi madre no hace más que darme yerbajos para que los tenga y en octubre iremos al Santo que dicen que los da a la que lo pide con ansia. Mi madre pedirá. Yo, no.

YERMA. ¿Por qué te has casado?

MUCHACHA 2.ª Porque me han casado. Se casan todas. Si seguimos así, no va a haber solteras más que las niñas. Bueno, y además..., una se casa en realidad mucho antes de ir a la iglesia. Pero las viejas se empeñan en todas estas cosas. Yo tengo diecinueve años y no me gusta guisar, ni lavar. Bueno, pues todo el día he de estar haciendo lo que no me gusta. ¿Y para qué? ¿Qué necesidad tiene mi marido de ser mi marido? Porque lo mismo hacíamos de novios que ahora. Tonterías de los viejos.

YERMA. Calla, no digas esas cosas.

MUCHACHA 2.ª También tú me dirás loca. «¡La loca, la loca!» *(Ríe.)* Yo te puedo decir lo único que he aprendido en la vida: toda la gente está metida dentro de sus casas haciendo lo que no les gusta. Cuánto mejor se está en medio de la calle. Ya voy al arroyo, ya subo a tocar las campanas, ya me tomo un refresco de anís.

YERMA. Eres una niña.

MUCHACHA 2.ª Claro, pero no estoy loca. *(Ríe.)*

YERMA. ¿Tu madre vive en la parte más alta del pueblo?

MUCHACHA 2.ª Sí.

YERMA. ¿En la última casa?

MUCHACHA 2.ª Sí.

YERMA. ¿Cómo se llama?

MUCHACHA 2.ª Dolores. ¿Por qué preguntas?

YERMA. Por nada.

MUCHACHA 2.ª Por algo preguntarás.

YERMA. No sé..., es un decir...

MUCHACHA 2.ª Allá tú... Mira, me voy a dar la comida a mi marido. *(Ríe.)* Es lo que hay que ver. ¡Qué lástima no po-

der decir mi novio! ¿Verdad? *(Se va riendo alegremente.)*
¡Adiós!

VOZ DE VÍCTOR. *(Cantando.)*

> ¿Por qué duermes solo, pastor?
> ¿Por qué duermes solo, pastor?
> En mi colcha de lana
> dormirías mejor.
> ¿Por qué duermes solo, pastor?

YERMA. *(Escuchando.)*

> ¿Por qué duermes solo, pastor?
> En mi colcha de lana
> dormirías mejor.
> Tu colcha de oscura piedra,
>> pastor,
> y tu camisa de escarcha,
>> pastor,
> juncos grises del invierno
> en la noche de tu cama.
> Los robles ponen agujas,
>> pastor,
> debajo de tu almohada,
>> pastor,
> y si oyes voz de mujer
> es la rota voz del agua.
>> Pastor, pastor.
> ¿Qué quiere el monte de ti,
>> pastor?
> Monte de hierbas amargas,
> ¿qué niño te está matando?
> ¡La espina de la retama!

(Va a salir y se tropieza con Víctor, que entra.)

VÍCTOR. *(Alegre.)* ¿Dónde va lo hermoso?

YERMA. ¿Cantabas tú?

VÍCTOR. Yo.

YERMA. ¡Qué bien! Nunca te había sentido.

VÍCTOR. ¿No?

YERMA. Y qué voz tan pujante. Parece un chorro de agua que te llena toda la boca.

VÍCTOR. Soy alegre.

YERMA. Es verdad.

VÍCTOR. Como tú triste.

YERMA. No soy triste. Es que tengo motivos para estarlo.

VÍCTOR. Y tu marido más triste que tú.

YERMA. Él sí. Tiene un carácter seco.

VÍCTOR. Siempre fue igual. *(Pausa. Yerma está sentada.)* ¿Viniste a traer la comida?

YERMA. Sí. *(Lo mira. Pausa.)* ¿Qué tienes aquí? *(Señala la cara.)*

VÍCTOR. ¿Dónde?

YERMA. *(Se levanta y se acerca a Víctor.)* Aquí... en la mejilla. Como una quemadura.

VÍCTOR. No es nada.

YERMA. Me había parecido.

(Pausa.)

VÍCTOR. Debe ser el sol...

YERMA. Quizá...

> *(Pausa. El silencio se acentúa y sin el menor gesto comienza una lucha entre los dos personajes.)*

(Temblando.) ¿Oyes?

VÍCTOR. ¿Qué?

YERMA. ¿No sientes llorar?

VÍCTOR. *(Escuchando.)* No.

YERMA. Me había parecido que lloraba un niño.

VÍCTOR. ¿Sí?

YERMA. Muy cerca. Y lloraba como ahogado.

VÍCTOR. Por aquí hay siempre muchos niños que vienen a robar fruta.

YERMA. No. Es la voz de un niño pequeño.

(Pausa.)

VÍCTOR. No oigo nada.

YERMA. Serán ilusiones mías. *(Lo mira fijamente, y Víctor la mira también y desvía la mirada lentamente, como con miedo.)*

(Sale Juan.)

JUAN. ¿Qué haces todavía aquí?

YERMA. Hablaba.

VÍCTOR. Salud. *(Sale.)*

JUAN. Debías estar en casa.

YERMA. Me entretuve.

JUAN. No comprendo en qué te has entretenido.

YERMA. Oí cantar los pájaros.

JUAN. Está bien. Así darás que hablar a las gentes.

YERMA. *(Fuerte.)* Juan, ¿qué piensas?

JUAN. No lo digo por ti, lo digo por las gentes.

YERMA. ¡Puñalada que le den a las gentes!

JUAN. No maldigas. Está feo en una mujer.

YERMA. Ojalá fuera yo una mujer.

JUAN. Vamos a dejarnos de conversación. Vete a la casa.

(Pausa.)

YERMA. Está bien. ¿Te espero?

JUAN. No. Estaré toda la noche regando. Viene poca agua, es mía hasta la salida del sol y tengo que defenderla de los ladrones. Te acuestas y te duermes.

YERMA. *(Dramática.)* ¡Me dormiré! *(Sale.)*

Telón

Acto segundo

CUADRO PRIMERO

Torrente donde lavan las mujeres del pueblo. Las Lavanderas están situadas en varios planos.

Canto a telón corrido.

> En el arroyo frío
> lavo tu cinta.
> Como un jazmín caliente
> tienes la risa.

LAVANDERA 1.ª A mí no me gusta hablar.

LAVANDERA 3.ª Pero aquí se habla.

LAVANDERA 4.ª Y no hay mal en ello.

LAVANDERA 5.ª La que quiera honra, que la gane.

LAVANDERA 4.ª

> Yo planté un tomillo,
> yo lo vi crecer.
> El que quiera honra,
> que se porte bien.

(Ríen.)

LAVANDERA 5.ª Así se habla.

LAVANDERA 1.ª Pero es que nunca se sabe nada.

LAVANDERA 4.ª Lo cierto es que el marido se ha llevado a vivir con ellos a sus dos hermanas.

LAVANDERA 5.ª ¿Las solteras?

LAVANDERA 4.ª Sí. Estaban encargadas de cuidar la iglesia y ahora cuidarán de su cuñada. Yo no podría vivir con ellas.

LAVANDERA 1.ª ¿Por qué?

LAVANDERA 4.ª Porque dan miedo. Son como esas hojas grandes que nacen de pronto sobre los sepulcros. Están untadas con cera. Son metidas hacia adentro. Se me figura que guisan su comida con el aceite de las lámparas.

LAVANDERA 3.ª ¿Y están ya en la casa?

LAVANDERA 4.ª Desde ayer. El marido sale otra vez a sus tierras.

LAVANDERA 1.ª ¿Pero se puede saber lo que ha ocurrido?

LAVANDERA 5.ª Anteanoche, ella la pasó sentada en el tranco, a pesar del frío.

LAVANDERA 1.ª Pero, ¿por qué?

LAVANDERA 4.ª Le cuesta trabajo estar en su casa.

LAVANDERA 5.ª Estas machorras son así: cuando podían estar haciendo encajes o confituras de manzanas, les gusta subirse al tejado y andar descalzas por esos ríos.

LAVANDERA 1.ª ¿Quién eres tú para decir estas cosas? Ella no tiene hijos, pero no es por culpa suya.

LAVANDERA 4.ª Tiene hijos la que quiere tenerlos. Es que las regalonas, las flojas, las endulzadas, no son a propósito para llevar el vientre arrugado.

(Ríen.)

LAVANDERA 3.ª Y se echan polvos de blancura y colorete y se prenden ramos de adelfa en busca de otro que no es su marido.

LAVANDERA 5.ª ¡No hay otra verdad!

LAVANDERA 1.ª Pero ¿vosotras la habéis visto con otro?

LAVANDERA 4.ª Nosotras no, pero las gentes sí.

LAVANDERA 1.ª ¡Siempre las gentes!

LAVANDERA 5.ª Dicen que en dos ocasiones.

LAVANDERA 2.ª ¿Y qué hacían?

LAVANDERA 4.ª Hablaban.

LAVANDERA 1.ª Hablar no es pecado.

LAVANDERA 4.ª Hay una cosa en el mundo que es la mirada. Mi madre lo decía. No es lo mismo una mujer mirando a unas rosas que una mujer mirando a los muslos de un hombre. Ella lo mira.

LAVANDERA 1.ª ¿Pero a quién?

LAVANDERA 4.ª A uno. ¿Lo oyes? Entérate tú. ¿Quieres que lo diga más alto? *(Risas.)* Y cuando no lo mira, porque está sola, porque no lo tiene delante, lo lleva retratado en los ojos.

LAVANDERA 1.ª ¡Eso es mentira!

(Algazara.)

LAVANDERA 5.ª ¿Y el marido?

LAVANDERA 3.ª El marido está como sordo. Parado como un lagarto puesto al sol.

(Ríen.)

LAVANDERA 1.ª Todo esto se arreglaría si tuvieran criaturas.

LAVANDERA 2.ª Todo esto son cuestiones de gente que no tiene conformidad con su sino.

LAVANDERA 4.ª Cada hora que transcurre aumenta el infierno en aquella casa. Ella y las cuñadas, sin despegar los labios, blanquean todo el día las paredes, friegan los cobres, limpian con vaho los cristales, dan aceite a la solería. Pues, cuando más relumbra la vivienda, más arde por dentro.

LAVANDERA 1.ª Él tiene la culpa, él. Cuando un padre no da hijos debe cuidar de su mujer.

LAVANDERA 4.ª La culpa es de ella, que tiene por lengua un pedernal.

LAVANDERA 1.ª ¿Qué demonio se te ha metido entre los cabellos para que hables así?

LAVANDERA 4.ª ¿Y quién ha dado licencia a tu boca para que me des consejos?

LAVANDERA 5.ª ¡Callar!

(Risas.)

LAVANDERA 1.ª Con una aguja de hacer calceta ensartaría yo las lenguas murmuradoras.

LAVANDERA 5.ª ¡Calla!

LAVANDERA 4.ª Y yo la tapa del pecho de las fingidas.

LAVANDERA 5.ª Silencio. ¿No ves que por ahí vienen las cuñadas?

(Murmullos. Entran las dos Cuñadas de Yerma. Van vestidas de luto. Se ponen a lavar en medio de un silencio. Se oyen esquilas.)

LAVANDERA 1.ª ¿Se van ya los zagales?

LAVANDERA 3.ª Sí, ahora salen todos los rebaños.

LAVANDERA 4.ª *(Aspirando.)* Me gusta el olor de las ovejas.

LAVANDERA 3.ª ¿Sí?

LAVANDERA 4.ª ¿Y por qué no? Olor de lo que una tiene. Cómo me gusta el olor del fango rojo que trae el río por el invierno.

LAVANDERA 3.ª Caprichos.

LAVANDERA 5.ª *(Mirando.)* Van juntos todos los rebaños.

LAVANDERA 4.ª Es una inundación de lana. Arramblan con todo. Si los trigos verdes tuvieran cabeza, temblarían de verlos venir.

LAVANDERA 3.ª ¡Mira como corren! ¡Qué manada de enemigos!

LAVANDERA 1.ª Ya salieron todos, no falta uno.

LAVANDERA 4.ª A ver... No... sí, sí falta uno.

LAVANDERA 5.ª ¿Cuál?...

LAVANDERA 4.ª El de Víctor.

(Las dos Cuñadas se yerguen y miran.)

(Cantando entre dientes.)

En el arroyo frío
lavo tu cinta.
Como un jazmín caliente
tienes la risa.

Quiero vivir
en la nevada chica
de ese jazmín.

LAVANDERA 1.ª

¡Ay de la casada seca!
¡Ay de la que tiene los pechos de arena!

LAVANDERA 5.ª

Dime si tu marido
guarda semillas
para que el agua cante
por tu camisa.

LAVANDERA 4.ª

Es tu camisa
nave de plata y viento
por las orillas.

LAVANDERA 3.ª

Las ropas de mi niño
vengo a lavar,
para que tome al agua
lecciones de cristal.

LAVANDERA 2.ª

Por el monte ya llega
mi marido a comer.
Él me trae una rosa
y yo le doy tres.

LAVANDERA 5.ª

Por el llano ya vino
mi marido a cenar.
Las brasas que me entrega
cubro con arrayán.

LAVANDERA 4.ª

Por el aire ya viene
mi marido a dormir.
Yo alhelíes rojos
y él rojo alhelí.

LAVANDERA 3.ª

Hay que juntar flor con flor
cuando el verano seca la sangre al segador.

LAVANDERA 4.ª

Y abrir el vientre a pájaros sin sueño
cuando a la puerta llama tembloroso el invierno.

LAVANDERA 1.ª

Hay que gemir en la sábana.

LAVANDERA 4.ª

> ¡Y hay que cantar!

LAVANDERA 5.ª

> Cuando el hombre nos trae
> la corona y el pan.

LAVANDERA 4.ª

> Porque los brazos se enlazan.

LAVANDERA 5.ª

> Porque la luz se nos quiebra en la garganta.

LAVANDERA 4.ª

> Porque se endulza el tallo de las ramas.

LAVANDERA 5.ª

> Y las tiendas del viento cubran a las montañas.

LAVANDERA 6.ª *(Apareciendo en lo alto del torrente.)*

> Para que un niño funda
> yertos vidrios del alba.

LAVANDERA 4.ª

> Y nuestro cuerpo tiene
> ramas furiosas de coral.

LAVANDERA 5.ª

> Para que haya remeros
> en las aguas del mar.

LAVANDERA 1.ª

> Un niño pequeño, un niño.

LAVANDERA 2.ª

> Y las palomas abren las alas y el pico.

LAVANDERA 3.ª

> Un niño que gime, un hijo.

LAVANDERA 4.ª

> Y los hombres avanzan
> como ciervos heridos.

LAVANDERA 5.ª

> ¡Alegría, alegría, alegría
> del vientre redondo bajo la camisa!

LAVANDERA 2.ª

> ¡Alegría, alegría, alegría,
> ombligo, cáliz tierno de maravilla!

LAVANDERA 1.ª
>   ¡Pero ay de la casada seca!
>   ¡Ay de la que tiene los pechos de arena!

LAVANDERA 4.ª
>   ¡Que relumbre!

LAVANDERA 5.ª
>   ¡Que corra!

LAVANDERA 4.ª
>   ¡Que vuelva a relumbrar!

LAVANDERA 3.ª
>   ¡Que cante!

LAVANDERA 2.ª
>   ¡Que se esconda!

LAVANDERA 3.ª
>   Y que vuelva a cantar.

LAVANDERA 6.ª
>   La aurora que mi niño
>   lleva en el delantal.

LAVANDERA 4.ª *(Cantan todas a coro.)*
>   En el arroyo frío
>   lavo tu cinta.
>   Como un jazmín caliente
>   tienes la risa.
>   ¡Ja, ja, ja!

(Mueven los paños con ritmo y los golpean.)

Telón

CUADRO II

Casa de Yerma. Atardecer. Juan está sentado.

Las dos Hermanas, de pie.

JUAN. ¿Dices que salió hace poco? *(La Hermana mayor contesta con la cabeza.)* Debe estar en la fuente. Pero ya sabéis que no me gusta que salga sola. *(Pausa.)* Puedes poner la mesa. *(Sale la Hermana menor.)* Bien ganado tengo el pan que como. *(A su Hermana.)* Ayer pasé un día duro. Estuve podando los manzanos y a la caída de la tarde me puse a pensar para qué pondría yo tanta ilusión en la faena si no puedo llevarme una manzana a la boca. Estoy harto. *(Se pasa las manos por la cara. Pausa.)* Ésa no viene... Una de vosotras debía salir con ella, porque para eso estáis aquí comiendo en mi mantel y bebiendo mi vino. Mi vida está en el campo, pero mi honra está aquí. Y mi honra es también la vuestra. *(La Hermana inclina la cabeza.)* No lo tomes a mal. *(Entra Yerma con dos cántaros. Queda parada en la puerta.)* ¿Vienes de la fuente?

YERMA. Para tener agua fresca en la comida. *(Sale la otra Hermana.)* ¿Cómo están las tierras?

JUAN. Ayer estuve podando los árboles.

(Yerma deja los cántaros. Pausa.)

YERMA. ¿Te quedarás?

JUAN. He de cuidar el ganado. Tú sabes que esto es cosa del dueño.

YERMA. Lo sé muy bien. No lo repitas.

JUAN. Cada hombre tiene su vida.

YERMA. Y cada mujer la suya. No te pido yo que te quedes. Aquí tengo todo lo que necesito. Tus hermanas me guardan bien. Pan tierno y requesón y cordero asado como yo aquí, y pasto lleno de rocío tus ganados en el monte. Creo que puedes vivir en paz.

JUAN. Para vivir en paz se necesita estar tranquilo.

YERMA. ¿Y tú no estás?

JUAN. No estoy.

YERMA. Desvía la intención.

JUAN. ¿Es que no conoces mi modo de ser? Las ovejas en el redil y las mujeres en su casa. Tú sales demasiado. ¿No me has oído decir esto siempre?

YERMA. Justo. Las mujeres dentro de sus casas. Cuando las casas no son tumbas. Cuando las sillas se rompen y las sábanas de hilo se gastan con el uso. Pero aquí, no. Cada noche, cuando me acuesto, encuentro mi cama más nueva, más reluciente, como si estuviera recién traída de la ciudad.

JUAN. Tú misma reconoces que llevo razón al quejarme. ¡Que tengo motivos para estar alerta!

YERMA. Alerta ¿de qué? En nada te ofendo. Vivo sumisa a ti, y lo que sufro lo guardo pegado a mis carnes. Y cada día que pase será peor. Vamos a callarnos. Yo sabré llevar mi cruz como mejor pueda, pero no me preguntes nada. Si pudiera de pronto volverme vieja y tuviera la boca como una flor machacada, te podría sonreír y conllevar la vida contigo. Ahora, ahora, déjame con mis clavos.

JUAN. Hablas de una manera que yo no te entiendo. No te privo de nada. Mando a los pueblos vecinos por las cosas que te gustan. Yo tengo mis defectos, pero quiero tener paz y sosiego contigo. Quiero dormir fuera y pensar que tú duermes también.

YERMA. Pero yo no duermo, yo no puedo dormir.

JUAN. ¿Es que te falta algo? Dime. *(Pausa.)* ¡Contesta!

YERMA. *(Con intención y mirando fijamente al Marido.)* Sí, me falta.

(Pausa.)

JUAN. Siempre lo mismo. Hace ya más de cinco años. Yo casi lo estoy olvidando.

YERMA. Pero yo no soy tú. Los hombres tienen otra vida: los ganados, los árboles, las conversaciones; y las mujeres no tenemos más que esta de la cría y el cuido de la cría.

JUAN. Todo el mundo no es igual. ¿Por qué no te traes un hijo de tu hermano? Yo no me opongo.

YERMA. No quiero cuidar hijos de otras. Me figuro que se me van a helar los brazos de tenerlos.

JUAN. Con este achaque vives alocada, sin pensar en lo que debías, y te empeñas en meter la cabeza por una roca.

YERMA. Roca que es una infamia que sea roca, porque debía ser un canasto de flores y agua dulce.

JUAN. Estando a tu lado no se siente más que inquietud, desasosiego. En último caso debes resignarte.

YERMA. Yo he venido a estas cuatro paredes para no resignarme. Cuando tenga la cabeza atada con un pañuelo para que no se me abra la boca, y las manos bien amarradas dentro del ataúd, en esa hora me habré resignado.

JUAN. Entonces, ¿qué quieres hacer?

YERMA. Quiero beber agua y no hay vaso ni agua; quiero subir al monte y no tengo pies; quiero bordar mis enaguas y no encuentro los hilos.

JUAN. Lo que pasa es que no eres una mujer verdadera y buscas la ruina de un hombre sin voluntad.

YERMA. Yo no sé quién soy. Déjame andar y desahogarme. En nada te he faltado.

JUAN. No me gusta que la gente me señale. Por eso quiero ver cerrada esa puerta y cada persona en su casa.

(Sale la Hermana 1.ª lentamente y se acerca a una alacena.)

YERMA. Hablar con la gente no es pecado.

JUAN. Pero puede parecerlo. *(Sale la otra Hermana y se dirige a los cántaros, en los cuales llena una jarra.) (Bajando la voz.)* Yo no tengo fuerzas para estas cosas. Cuando te den conversación, cierras la boca y piensas que eres una mujer casada.

YERMA. *(Con asombro.)* ¡Casada!

JUAN. Y que las familias tienen honra y la honra es una carga que se lleva entre todos. *(Sale la Hermana con la jarra, lentamente.)* Pero que está oscura y débil en los mismos caños de la sangre. *(Sale la otra Hermana con una fuente, de modo casi procesional. Pausa.)* Perdóname. *(Yerma mira a su Marido; éste levanta la cabeza y se tropieza con la mirada.)* Aunque me miras de un modo que no debía decirte perdóname, sino obligarte, encerrarte, porque para eso soy el marido.

(Aparecen las dos Hermanas en la puerta.)

YERMA. Te ruego que no hables. Deja quieta la cuestión.

(Pausa.)

JUAN. Vamos a comer. *(Entran las Hermanas. Pausa.)* ¿Me has oído?
YERMA. *(Dulce.)* Come tú con tus hermanas. Yo no tengo hambre todavía.
JUAN. Lo que quieras. *(Entra.)*
YERMA. *(Como soñando.)*

    ¡Ay qué prado de pena!
    ¡Ay qué puerta cerrada a la hermosura,
    que pido un hijo que sufrir y el aire
    me ofrece dalias de dormida luna!
    Estos dos manantiales que yo tengo
    de leche tibia, son en la espesura
    de mi carne, dos pulsos de caballo,
    que hacen latir la rama de mi angustia.
    ¡Ay pechos ciegos bajo mi vestido!
    ¡Ay palomas sin ojos ni blancura!
    ¡Ay qué dolor de sangre prisionera
    me está clavando avispas en la nuca!
    Pero tú has de venir, ¡amor!, mi niño,
    porque el agua da sal, la tierra fruta,
    y nuestro vientre guarda tiernos hijos
    como la nube lleva dulce lluvia.

(Mira hacia la puerta.)

¡María! ¿Por qué pasas tan deprisa por mi puerta?
MARÍA. *(Entra con un Niño en brazos.)* Cuando voy con el niño, lo hago... ¡Como siempre lloras!...

YERMA. Tienes razón. *(Coge al Niño y se sienta.)*

MARÍA. Me da tristeza que tengas envidia. *(Se sienta.)*

YERMA. No es envidia lo que tengo; es pobreza.

MARÍA. No te quejes.

YERMA. ¡Cómo no me voy a quejar cuando te veo a ti y a las otras mujeres llenas por dentro de flores, y viéndome yo inútil en medio de tanta hermosura!

MARÍA. Pero tienes otras cosas. Si me oyeras, podrías ser feliz.

YERMA. La mujer del campo que no da hijos es inútil como un manojo de espinos ¡y hasta mala!, a pesar de que yo sea de este desecho dejado de la mano de Dios. *(María hace un gesto como para tomar al Niño.)* Tómalo; contigo está más a gusto. Yo no debo tener manos de madre.

MARÍA. ¿Por qué me dices eso?

YERMA. *(Se levanta.)* Porque estoy harta, porque estoy harta de tenerlas y no poderlas usar en cosa propia. Que estoy ofendida, ofendida y rebajada hasta lo último, viendo que los trigos apuntan, que las fuentes no cesan de dar agua, y que paren las ovejas cientos de corderos, y las perras, y que parece que todo el campo puesto de pie me enseña sus crías tiernas, adormiladas, mientras yo siento dos golpes de martillo aquí, en lugar de la boca de mi niño.

MARÍA. No me gusta lo que dices.

YERMA. Las mujeres, cuando tenéis hijos, no podéis pensar en las que no los tenemos. Os quedáis frescas, ignorantes, como el que nada en agua dulce no tiene idea de la sed.

MARÍA. No te quiero decir lo que te digo siempre.

YERMA. Cada vez tengo más deseos y menos esperanzas.

MARÍA. Mala cosa.

YERMA. Acabaré creyendo que yo misma soy mi hijo. Muchas noches bajo yo a echar la comida a los bueyes, que antes no lo hacía, porque ninguna mujer lo hace, y cuando paso por lo oscuro del cobertizo mis pasos me suenan a pasos de hombre.

MARÍA. Cada criatura tiene su razón.

YERMA. A pesar de todo, sigue queriéndome. ¡Ya ves cómo vivo!

MARÍA. ¿Y tus cuñadas?

YERMA. Muerta me vea y sin mortaja, si alguna vez les dirijo la conversación.

MARÍA. ¿Y tu marido?

YERMA. Son tres contra mí.

MARÍA. ¿Qué piensan?

YERMA. Figuraciones. De gente que no tiene la conciencia tranquila. Creen que me puede gustar otro hombre y no saben que, aunque me gustara, lo primero de mi casta es la honradez. Son piedras delante de mí. Pero ellos no saben que yo, si quiero, puedo ser agua de arroyo que las lleve.

(Una Hermana entra y sale llevando un pan.)

MARÍA. De todas maneras, creo que tu marido te sigue queriendo.

YERMA. Mi marido me da pan y casa.

MARÍA. ¡Qué trabajos estás pasando, qué trabajos, pero acuérdate de las llagas de Nuestro Señor! *(Están en la puerta.)*

YERMA. *(Mirando al niño.)* Ya ha despertado.

MARÍA. Dentro de poco empezará a cantar.

YERMA. Los mismos ojos que tú, ¿lo sabías? ¿Los has visto? *(Llorando.)* ¡Tiene los mismos ojos que tú! *(Yerma empuja suavemente a María y ésta sale silenciosa. Yerma se dirige a la puerta por donde entró su Marido.)*

MUCHACHA 2.ª ¡Chisss!

YERMA. *(Volviéndose.)* ¿Qué?

MUCHACHA 2.ª Esperé a que saliera. Mi madre te está aguardando.

YERMA. ¿Está sola?

MUCHACHA 2.ª Con dos vecinas.

YERMA. Dile que esperen un poco.

MUCHACHA 2.ª ¿Pero vas a ir? ¿No te da miedo?

YERMA. Voy a ir.

MUCHACHA 2.ª ¡Allá tú!

YERMA. ¡Que me esperen aunque sea tarde!

(Entra Víctor.)

VÍCTOR. ¿Está Juan?

YERMA. Sí.

MUCHACHA 2.ª *(Cómplice.)* Entonces yo traeré la blusa.

YERMA. Cuando quieras. *(Sale la Muchacha.)* Siéntate.

VÍCTOR. Estoy bien así.

YERMA. *(Llamando al Marido.)* ¡Juan!

VÍCTOR. Vengo a despedirme.

YERMA. *(Se estremece ligeramente, pero vuelve a su serenidad.)*
   ¿Te vas con tus hermanos?

VÍCTOR. Así lo quiere mi padre.

YERMA. Ya debe estar viejo.

VÍCTOR. Sí, muy viejo.

(Pausa.)

YERMA. Haces bien en cambiar de campos.

VÍCTOR. Todos los campos son iguales.

YERMA. No. Yo me iría muy lejos.

VÍCTOR. Es todo lo mismo. Las mismas ovejas tienen la misma lana.

YERMA. Para los hombres, sí, pero las mujeres somos otra
   cosa. Nunca oí decir a un hombre comiendo: «¡Qué buenas
   son estas manzanas!». Vais a lo vuestro sin reparar en las
   delicadezas. De mí sé decir que he aborrecido el agua de estos pozos.

VÍCTOR. Puede ser.

(La escena está en una suave penumbra. Pausa.)

YERMA. Víctor.

VÍCTOR. Dime.

YERMA. ¿Por qué te vas? Aquí las gentes te quieren.

VÍCTOR. Yo me porté bien.

(Pausa.)

YERMA. Te portaste bien. Siendo zagalón me llevaste una vez
   en brazos; ¿no recuerdas? Nunca se sabe lo que va a pasar.

VÍCTOR. Todo cambia.

YERMA. Algunas cosas no cambian. Hay cosas encerradas detrás de los muros que no pueden cambiar porque nadie las oye.

VÍCTOR. Así es.

> *(Aparece la Hermana 2.ª y se dirige lentamente hacia la puerta, donde se queda fija, iluminada por la última luz de la tarde.)*

YERMA. Pero que si salieran de pronto y gritaran, llenarían el mundo.

VÍCTOR. No se adelantaría nada. La acequia por su sitio, el rebaño en el redil, la luna en el cielo y el hombre con su arado.

YERMA. ¡Qué pena más grande no poder sentir las enseñanzas de los viejos!

> *(Se oye el sonido largo y melancólico de las caracolas de los pastores.)*

VÍCTOR. Los rebaños.

JUAN. *(Sale.)* ¿Vas ya de camino?

VÍCTOR. Quiero pasar el puerto antes del amanecer.

JUAN. ¿Llevas alguna queja de mí?

VÍCTOR. No. Fuiste buen pagador.

JUAN. *(A Yerma.)* Le compré los rebaños.

YERMA. ¿Sí?

VÍCTOR. *(A Yerma.)* Tuyos son.

YERMA. No lo sabía.

JUAN. *(Satisfecho.)* Así es.

VÍCTOR. Tu marido ha de ver su hacienda colmada.

YERMA. El fruto viene a las manos del trabajador que lo busca.

> *(La Hermana que está en la puerta entra dentro.)*

JUAN. Ya no tenemos sitio donde meter tantas ovejas.

YERMA. *(Sombría.)* La tierra es grande.

> *(Pausa.)*

JUAN. Iremos juntos hasta el arroyo.

víctor. Deseo la mayor felicidad para esta casa. *(Le da la mano a Yerma.)*
yerma. ¡Dios te oiga! ¡Salud!

> *(Víctor le da salida y, a un movimiento imperceptible de Yerma, se vuelve.)*

víctor. ¿Decías algo?
yerma. *(Dramática.)* Salud dije.
víctor. Gracias.

> *(Salen. Yerma queda angustiada mirándose la mano que ha dado a Víctor. Yerma se dirige rápidamente hacia la izquierda y toma un mantón.)*

muchacha 2.ª *(En silencio, tapándole la cabeza.)* Vamos.
yerma. Vamos.

> *(Salen sigilosamente. La escena está casi a oscuras. Sale la Hermana 1.ª con un velón que no debe dar al teatro luz ninguna, sino la natural que lleva. Se dirige al fin de la escena buscando a Yerma. Suenan los caracoles de los rebaños.)*

cuñada 1.ª *(En voz baja.)* ¡Yerma!

> *(Sale la Hermana 2.ª, se miran las dos y se dirige a la puerta.)*

cuñada 2.ª *(Más alto.)* ¡Yerma! *(Sale.)*
cuñada 1.ª *(Dirigiéndose a la puerta también y con una carrasposa voz.)* ¡Yerma!

> *(Sale. Se oyen los cárabos y los cuernos de los pastores. La escena está oscurísima.)*

Telón

Acto tercero

CUADRO PRIMERO

Casa de la Dolores, la conjuradora. Está amaneciendo. Entra Yerma con Dolores y dos Viejas.

DOLORES. Has estado valiente.

VIEJA 1.ª No hay en el mundo fuerza como la del deseo.

VIEJA 2.ª Pero el cementerio estaba demasiado oscuro.

DOLORES. Muchas veces yo he hecho estas oraciones en el cementerio con mujeres que ansiaban críos, y todas han pasado miedo. Todas, menos tú.

YERMA. Yo he venido por el resultado. Creo que no eres mujer engañadora.

DOLORES. No soy. Que mi lengua se llene de hormigas, como está la boca de los muertos, si alguna vez he mentido. La última vez hice la oración con una mujer mendicante, que estaba seca más tiempo que tú, y se le endulzó el vientre de manera tan hermosa que tuvo dos criaturas ahí abajo, en el río, porque no le daba tiempo a llegar a las casas, y ella misma las trajo en un pañal para que yo las arreglase.

YERMA. ¿Y pudo venir andando desde el río?

DOLORES. Vino. Con los zapatos y las enaguas empapadas en sangre... pero con la cara reluciente.

YERMA. ¿Y no le pasó nada?

DOLORES. ¿Qué le iba a pasar? Dios es Dios.

YERMA. Naturalmente. No le podía pasar nada, sino agarrar las criaturas y lavarlas con agua viva. Los animales los lamen, ¿verdad? A mí no me da asco de mi hijo. Yo tengo la idea de que las recién paridas están como iluminadas por dentro, y los niños se duermen horas y horas sobre ellas oyendo ese arroyo de leche tibia que les va llenando los pechos para que ellos mamen, para que ellos jueguen, hasta que no quieran más, hasta que retiren la cabeza – «otro poquito más, niño...» –, y se les llene la cara y el pecho de gotas blancas.

DOLORES. Ahora tendrás un hijo. Te lo puedo asegurar.

YERMA. Lo tendré porque lo tengo que tener. O no entiendo el mundo. A veces, cuando ya estoy segura de que jamás, jamás... me sube como una oleada de fuego por los pies y se me quedan vacías todas las cosas, y los hombres que andan por la calle y los toros y las piedras me parecen como cosas de algodón. Y me pregunto: ¿para qué estarán ahí puestos?

VIEJA I.ª Está bien que una casada quiera hijos, pero si no los tiene, ¿por qué ese ansia de ellos? Lo importante de este mundo es dejarse llevar por los años. No te critico. Ya has visto cómo he ayudado a los rezos. Pero, ¿qué vega esperas dar a tu hijo, ni qué felicidad, ni qué silla de plata?

YERMA. Yo no pienso en el mañana; pienso en el hoy. Tú estás vieja y lo ves ya todo como un libro leído. Yo pienso que tengo sed y no tengo libertad. Yo quiero tener a mi hijo en los brazos para dormir tranquila y, óyelo bien y no te espantes de lo que te digo, aunque yo supiera que mi hijo me iba a martirizar después y me iba a odiar y me iba a llevar de los cabellos por las calles, recibiría con gozo su nacimiento, porque es mucho mejor llorar por un hombre vivo que nos apuñala, que llorar por este fantasma sentado año tras año encima de mi corazón.

VIEJA I.ª Eres demasiado joven para oír consejo. Pero, mientras esperas la gracia de Dios, debes ampararte en el amor de tu marido.

YERMA. ¡Ay! Has puesto el dedo en la llaga más honda que tienen mis carnes.

DOLORES. Tu marido es bueno.

YERMA. *(Se levanta.)* ¡Es bueno! ¡Es bueno! ¿Y qué? Ojalá fuera malo. Pero no. Él va con sus ovejas por sus caminos y cuenta el dinero por las noches. Cuando me cubre, cumple con su deber, pero yo le noto la cintura fría como si tuviera el cuerpo muerto, y yo, que siempre he tenido asco de las mujeres calientes, quisiera ser en aquel instante como una montaña de fuego.

DOLORES. ¡Yerma!

YERMA. No soy una casada indecente; pero yo sé que los hijos nacen del hombre y de la mujer. ¡Ay, si los pudiera tener yo sola!

DOLORES. Piensa que tu marido también sufre.

YERMA. No sufre. Lo que pasa es que él no ansía hijos.

VIEJA 1.ª ¡No digas eso!

YERMA. Se lo conozco en la mirada y, como no los ansía, no me los da. No lo quiero, no lo quiero y, sin embargo, es mi única salvación. Por honra y por casta. Mi única salvación.

VIEJA 1.ª *(Con miedo.)* Pronto empezará a amanecer. Debes irte a tu casa.

DOLORES. Antes de nada saldrán los rebaños y no conviene que te vean sola.

YERMA. Necesitaba este desahogo. ¿Cuántas veces repito las oraciones?

DOLORES. La oración del laurel, dos veces, y al mediodía, la oración de santa Ana. Cuando te sientas encinta me traes la fanega de trigo que me has prometido.

VIEJA 1.ª Por encima de los montes ya empieza a clarear. Vete.

DOLORES. Como en seguida empezarán a abrir los portones, te vas dando un rodeo por la acequia.

YERMA. *(Con desaliento.)* ¡No sé por qué he venido!

DOLORES. ¿Te arrepientes?

YERMA. ¡No!

DOLORES. *(Turbada.)* Si tienes miedo, te acompañaré hasta la esquina.

YERMA. ¡Quita!

VIEJA 1.ª *(Con inquietud.)* Van a ser las claras del día cuando llegues a tu puerta.

(Se oyen voces.)

DOLORES. ¡Calla! *(Escuchan.)*

VIEJA 1.ª No es nadie. Anda con Dios.

(Yerma se dirige a la puerta y en este momento llaman a ella. Las tres Mujeres quedan paradas.)

DOLORES. ¿Quién es?

VOZ. Soy yo.

YERMA. Abre. *(Dolores duda.)* ¿Abres o no?

> *(Se oyen murmullos. Aparece Juan con las dos Cuñadas.)*

HERMANA 2.ª Aquí está.

YERMA. ¡Aquí estoy!

JUAN. ¿Qué haces en este sitio? Si pudiera dar voces, levantaría a todo el pueblo, para que viera dónde iba la honra de mi casa; pero he de ahogarlo todo y callarme porque eres mi mujer.

YERMA. Si pudiera dar voces, también las daría yo, para que se levantaran hasta los muertos y vieran esta limpieza que me cubre.

JUAN. ¡No, eso no! Todo lo aguanto menos eso. Me engañas, me envuelves y, como soy un hombre que trabaja la tierra, no tengo ideas para tus astucias.

DOLORES. ¡Juan!

JUAN. ¡Vosotras, ni palabra!

DOLORES. *(Fuerte.)* Tu mujer no ha hecho nada malo.

JUAN. Lo está haciendo desde el mismo día de la boda. Mirándome con dos agujas, pasando las noches en vela con los ojos abiertos al lado mío, y llenando de malos suspiros mis almohadas.

YERMA. ¡Cállate!

JUAN. Y yo no puedo más. Porque se necesita ser de bronce para ver a tu lado una mujer que te quiere meter los dedos dentro del corazón y que se sale de noche fuera de su casa, ¿en busca de qué? ¡Dime!, ¿buscando qué? Las calles están llenas de machos. En las calles no hay flores que cortar.

YERMA. No te dejo hablar ni una sola palabra. Ni una más. Te figuras tú y tu gente que sois vosotros los únicos que guardáis honra, y no sabes que mi casta no ha tenido nunca nada que ocultar. Anda. Acércate a mí y huele mis vestidos, ¡acércate!, a ver dónde encuentras un olor que no sea tuyo, que no sea de tu cuerpo. Me pones desnuda en mitad de la plaza y me escupes. Haz conmigo lo que quieras, que soy tu mujer, pero guárdate de poner nombre de varón sobre mis pechos.

JUAN. No soy yo quien lo pone; lo pones tú con tu conducta y el pueblo lo empieza a decir. Lo empieza a decir claramente. Cuando llego a un corro, todos callan; cuando voy a pesar la harina, todos callan; y hasta de noche en el campo, cuando despierto, me parece que también se callan las ramas de los árboles.

YERMA. Yo no sé por qué empiezan los malos aires que revuelcan al trigo y ¡mira tú si el trigo es bueno!

JUAN. Ni yo sé lo que busca una mujer a todas horas fuera de su tejado.

YERMA. *(En un arranque y abrazándose a su Marido.)* Te busco a ti. Te busco a ti. Es a ti a quien busco día y noche sin encontrar sombra donde respirar. Es tu sangre y tu amparo lo que deseo.

JUAN. Apártate.

YERMA. No me apartes y quiere conmigo.

JUAN. ¡Quita!

YERMA. Mira que me quedo sola. Como si la luna se buscara ella misma por el cielo. ¡Mírame! *(Lo mira.)*

JUAN. *(La mira y la aparta bruscamente.)* ¡Déjame ya de una vez!

DOLORES. ¡Juan!

(Yerma cae al suelo.)

YERMA. *(Alto.)* Cuando salía por mis claveles me tropecé con el muro. ¡Ay! ¡Ay! Es en ese muro donde tengo que estrellar mi cabeza.

JUAN. Calla. Vamos.

DOLORES. ¡Dios mío!

YERMA. *(A gritos.)* Maldito sea mi padre, que me dejó su sangre de padre de cien hijos. Maldita sea mi sangre, que los busca golpeando por las paredes.

JUAN. ¡Calla he dicho!

DOLORES. ¡Viene gente! Habla bajo.

YERMA. No me importa. Dejarme libre siquiera la voz, ahora que voy entrando en lo más oscuro del pozo. *(Se levanta.)* Dejar que de mi cuerpo salga siquiera esta cosa hermosa y que llene el aire.

(Se oyen voces.)

DOLORES. Van a pasar por aquí.

JUAN. Silencio.

YERMA. ¡Eso! ¡Eso! Silencio. Descuida.

JUAN. Vamos. ¡Pronto!

YERMA. ¡Ya está! ¡Ya está! ¡Y es inútil que me retuerza las manos! Una cosa es querer con la cabeza...

JUAN. Calla.

YERMA. *(Bajo.)* Una cosa es querer con la cabeza y otra cosa es que el cuerpo, maldito sea el cuerpo, no nos responda. Está escrito y no me voy a poner a luchar a brazo partido con los mares. Ya está. ¡Que mi boca se quede muda! *(Sale.)*

Telón

CUADRO ÚLTIMO

Alrededores de una ermita en plena montaña. En primer término, unas ruedas de carro y unas mantas formando una tienda rústica, donde está Yerma. Entran las Mujeres con ofrendas a la ermita. Vienen descalzas. En la escena está la Vieja alegre del primer acto.

Canto a telón corrido.

> No te pude ver
> cuando eras soltera,
> mas de casada te encontraré.
> No te pude ver
> cuando eras soltera.
> Te desnudaré,
> casada y romera,
> cuando en lo oscuro las doce den.

VIEJA. *(Con sorna.)* ¿Habéis bebido ya el agua santa?

MUJER 1.ª Sí.

VIEJA. Y ahora, a ver a ése.

MUJER 2.ª Creemos en él.

VIEJA. Venís a pedir hijos al santo y resulta que cada año vienen más hombres solos a esta romería. ¿Qué es lo que pasa? *(Ríe.)*

MUJER 1.ª ¿A qué vienes aquí, si no crees?

VIEJA. A ver. Yo me vuelvo loca por ver. Y a cuidar de mi hijo. El año pasado se mataron dos por una casada seca y quiero vigilar. Y, en último caso, vengo porque me da la gana.

MUJER 1.ª ¡Que Dios te perdone! *(Entran.)*

VIEJA. *(Con sarcasmo.)* Que te perdone a ti.

(Se va. Entra María con la Muchacha 1.ª)

MUCHACHA 1.ª ¿Y ha venido?

MARÍA. Ahí tienen el carro. Me costó mucho que vinieran. Ella ha estado un mes sin levantarse de la silla. Le tengo miedo. Tiene una idea que no sé cuál es, pero desde luego es una idea mala.

MUCHACHA 1.ª Yo llegué con mi hermana. Lleva ocho años viniendo sin resultado.

MARÍA. Tiene hijos la que los tiene que tener.

MUCHACHA 1.ª Es lo que yo digo.

(Se oyen voces.)

MARÍA. Nunca me gustó esta romería. Vamos a las eras, que es donde está la gente.

MUCHACHA 1.ª El año pasado, cuando se hizo oscuro, unos mozos atenazaron con sus manos los pechos de mi hermana.

MARÍA. En cuatro leguas a la redonda no se oyen más que palabras terribles.

MUCHACHA 1.ª Más de cuarenta toneles de vino he visto en las espaldas de la ermita.

MARÍA. Un río de hombres solos baja por esas sierras.

(Se oyen voces. Entra Yerma con seis Mujeres que van a la iglesia. Van descalzas y llevan cirios rizados. Empieza el anochecer.)

Señor, que florezca la rosa,
no me la dejéis en sombra.

MUJER 2.ª

Sobre su carne marchita
florezca la rosa amarilla.

MARÍA.

Y en el vientre de tus siervas,
la llama oscura de la tierra.

CORO.

Señor, que florezca la rosa,
no me la dejéis en sombra.

(Se arrodillan.)

YERMA.

El cielo tiene jardines
con rosales de alegría:
entre rosal y rosal,
la rosa de maravilla.
Rayo de aurora parece
y un arcángel la vigila,
las alas como tormentas,
los ojos como agonías.
Alrededor de sus hojas
arroyos de leche tibia
juegan y mojan la cara
de las estrellas tranquilas.
Señor, abre tu rosal
sobre mi carne marchita.

(Se levanta.)

MUJER 2.ª

Señor, calma con tu mano
las ascuas de su mejilla.

YERMA.

    Escucha a la penitente
    de tu santa romería.
    Abre tu rosa en mi carne
    aunque tenga mil espinas.

CORO.

    Señor, que florezca la rosa,
    no me la dejéis en sombra.

YERMA.

    Sobre mi carne marchita,
    la rosa de maravilla.

(Entran.)

(Salen las Muchachas corriendo con largas cintas en las manos, por la izquierda, y entran. Por la derecha, otras tres, con largas cintas y mirando hacia atrás, que entran también. Hay en la escena como un crescendo de voces, con ruidos de cascabeles y colleras de campanillas. En un plano superior aparecen las siete Muchachas, que agitan las cintas hacia la izquierda. Crece el ruido y entran dos Máscaras populares, una como macho y otra como hembra. Llevan grandes caretas. El Macho empuña un cuerno de toro en la mano. No son grotescas de ningún modo, sino de gran belleza y con un sentido de pura tierra. La Hembra agita un collar de grandes cascabeles.)

NIÑOS.

  ¡El demonio y su mujer! ¡El demonio y su mujer!

(El fondo se llena de gente que grita y comenta la danza. Está muy anochecido.)

HEMBRA.

    En el río de la sierra
    la esposa triste se bañaba.

Por el cuerpo le subían
los caracoles del agua.
La arena de las orillas
y el aire de la mañana
le daban fuego a su risa
y temblor a sus espaldas.
¡Ay qué desnuda estaba
la doncella en el agua!

NIÑO.

¡Ay cómo se quejaba!

HOMBRE 1.º

¡Ay marchita de amores!

NIÑO.

¡Con el viento y el agua!

HOMBRE 2.º

¡Que diga a quién espera!

HOMBRE 1.º

¡Que diga a quién aguarda!

HOMBRE 2.º

¡Ay con el vientre seco
y la color quebrada!

HEMBRA.

Cuando llegue la noche lo diré,
cuando llegue la noche clara.
Cuando llegue la noche de la romería
rasgaré los volantes de mi enagua.

NIÑO.

Y en seguida vino la noche.
¡Ay que la noche llegaba!
Mirad qué oscuro se pone
el chorro de la montaña.

(Empiezan a sonar unas guitarras.)

MACHO. *(Se levanta y agita el cuerno.)*
¡Ay qué blanca
la triste casada!
¡Ay cómo se queja entre las ramas!

Amapola y clavel serás luego,
cuando el macho despliegue su capa.

(Se acerca.)

Si tú vienes a la romería
a pedir que tu vientre se abra,
no te pongas un velo de luto,
sino dulce camisa de holanda.
Vete sola detrás de los muros,
donde están las higueras cerradas,
y soporta mi cuerpo de tierra
hasta el blanco gemido del alba.
¡Ay cómo relumbra!
¡Ay cómo relumbraba!
¡Ay cómo se cimbrea la casada!

HEMBRA.

¡Ay que el amor le pone
coronas y guirnaldas,
y dardos de oro vivo
en sus pechos se clavan!

MACHO.

Siete veces gemía,
nueve se levantaba.
Quince veces juntaron
jazmines con naranjas.

HOMBRE 1.º

¡Dale ya con el cuerno!

HOMBRE 2.º

Con la rosa y la danza.

HOMBRE 1.º

¡Ay cómo se cimbrea la casada!

MACHO.

En esta romería
el varón siempre manda.
Los maridos son toros,
el varón siempre manda,
y las romeras flores,
para aquel que las gana.

NIÑO.

> Dale ya con el aire.

HOMBRE 2.º

> Dale ya con la rama.

MACHO.

> ¡Venid a ver la lumbre
> de la que se bañaba!

HOMBRE 1.º

> Como junco se curva.

NIÑO.

> Y como flor se cansa.

HOMBRES.

> ¡Que se aparten las niñas!

MACHO.

> ¡Que se queme la danza
> y el cuerpo reluciente
> de la limpia casada!

(Se van bailando con son de palmas y música. Cantan.)

> El cielo tiene jardines
> con rosales de alegría:
> entre rosal y rosal,
> la rosa de maravilla.

(Vuelven a pasar dos Muchachas gritando. Entra la Vieja alegre.)

VIEJA. A ver si luego nos dejáis dormir. Pero luego será ella. *(Entra Yerma.)* ¿Tú? *(Yerma está abatida y no habla.)* Dime: ¿para qué has venido?

YERMA. No sé.

VIEJA. ¿No te convences? ¿Y tu esposo?

(Yerma da muestras de cansancio y de persona a la que una idea fija le oprime la cabeza.)

YERMA. Ahí está.

VIEJA. ¿Qué hace?

YERMA. Bebe. *(Pausa. Llevándose las manos a la frente.)* ¡Ay!

VIEJA. Ay, ay. Menos ¡ay! y más alma. Antes no he querido decirte nada, pero ahora sí.

YERMA. ¡Y qué me vas a decir que ya no sepa!

VIEJA. Lo que ya no se puede callar. Lo que está puesto encima del tejado. La culpa es de tu marido, ¿lo oyes? Me dejaría cortar las manos. Ni su padre, ni su abuelo, ni su bisabuelo se portaron como hombres de casta. Para tener un hijo ha sido necesario que se junte el cielo con la tierra. Están hechos con saliva. En cambio, tu gente, no. Tienes hermanos y primos a cien leguas a la redonda. ¡Mira qué maldición ha venido a caer sobre tu hermosura!

YERMA. Una maldición. Un charco de veneno sobre las espigas.

VIEJA. Pero tú tienes pies para marcharte de tu casa.

YERMA. ¿Para marcharme?

VIEJA. Cuando te vi en la romería me dio un vuelco el corazón. Aquí vienen las mujeres a conocer hombres nuevos y el Santo hace el milagro. Mi hijo está sentado detrás de la ermita esperándome. Mi casa necesita una mujer. Vete con él y viviremos los tres juntos. Mi hijo sí es de sangre. Como yo. Si entras en mi casa, todavía queda olor de cunas. La ceniza de tu colcha se te volverá pan y sal para las crías. Anda. No te importe la gente. Y, en cuanto a tu marido, hay en mi casa entrañas y herramientas para que no cruce siquiera la calle.

YERMA. Calla, calla. ¡Si no es eso! Nunca lo haría. Yo no puedo ir a buscar. ¿Te figuras que puedo conocer otro hombre? ¿Dónde pones mi honra? El agua no se puede volver atrás, ni la luna llena sale al mediodía. Vete. Por el camino que voy seguiré. ¿Has pensado en serio que yo me pueda doblar a otro hombre? ¿Que yo vaya a pedirle lo que es mío como una esclava? Conóceme, para que nunca me hables más. Yo no busco.

VIEJA. Cuando se tiene sed, se agradece el agua.

YERMA. Yo soy como un campo seco donde caben arando

mil pares de bueyes, y lo que tú me das es un pequeño vaso de agua de pozo. Lo mío es dolor que ya no está en las carnes.

VIEJA. *(Fuerte.)* Pues sigue así. Por tu gusto es. Como los cardos del secano. Pinchosa, marchita.

YERMA. *(Fuerte.)* Marchita sí, ¡ya lo sé! ¡Marchita! No es preciso que me lo refriegues por la boca. No vengas a solazarte, como los niños pequeños en la agonía de un animalito. Desde que me casé estoy dándole vueltas a esta palabra, pero es la primera vez que la oigo, la primera vez que me la dicen en la cara. La primera vez que veo que es verdad.

VIEJA. No me das ninguna lástima, ninguna. Yo buscaré otra mujer para mi hijo.

> *(Se va. Se oye un gran coro lejano cantado por los romeros. Yerma se dirige hacia el carro y aparece por detrás del mismo su Marido.)*

YERMA. ¿Estabas ahí?

JUAN. Estaba.

YERMA. ¿Acechando?

JUAN. Acechando.

YERMA. ¿Y has oído?

JUAN. Sí.

YERMA. ¿Y qué? Déjame y vete a los cantos. *(Se sienta en las mantas.)*

JUAN. También es hora de que yo hable.

YERMA. ¡Habla!

JUAN. Y que me queje.

YERMA. ¿Con qué motivo?

JUAN. Que tengo el amargor en la garganta.

YERMA. Y yo en los huesos.

JUAN. Ha llegado el último minuto de resistir este continuo lamento por cosas oscuras, fuera de la vida, por cosas que están en el aire.

YERMA. *(Con asombro dramático.)* ¿Fuera de la vida dice? ¿En el aire dice?

JUAN. Por cosas que no han pasado y ni tú ni yo dirigimos.

YERMA. *(Violenta.)* ¡Sigue! ¡Sigue!

JUAN. Por cosas que a mí no me importan. ¿Lo oyes? Que a mí no me importan. Ya es necesario que te lo diga. A mí me importa lo que tengo entre las manos. Lo que veo por mis ojos.

YERMA. *(Incorporándose de rodillas, desesperada.)* Así, así. Eso es lo que yo quería oír de tus labios. No se siente la verdad cuando está dentro de una misma, pero ¡qué grande y cómo grita cuando se pone fuera y levanta los brazos! ¡No le importa! ¡Ya lo he oído!

JUAN. *(Acercándose.)* Piensa que tenía que pasar así. Óyeme. *(La abraza para incorporarla.)* Muchas mujeres serían felices de llevar tu vida. Sin hijos es la vida más dulce. Yo soy feliz no teniéndolos. No tenemos culpa ninguna.

YERMA. ¿Y qué buscabas en mí?

JUAN. A ti misma.

YERMA. *(Excitada.)* ¡Eso! Buscabas la casa, la tranquilidad y una mujer. Pero nada más. ¿Es verdad lo que digo?

JUAN. Es verdad. Como todos.

YERMA. ¿Y lo demás? ¿Y tu hijo?

JUAN. *(Fuerte.)* ¡No oyes que no me importa! ¡No me preguntes más! ¡Que te lo tengo que gritar al oído para que lo sepas, a ver si de una vez vives ya tranquila!

YERMA. ¿Y nunca has pensado en él cuando me has visto desearlo?

JUAN. Nunca.

(Están los dos en el suelo.)

YERMA. ¿Y no podré esperarlo?

JUAN. No.

YERMA. Ni tú.

JUAN. Ni yo tampoco. ¡Resígnate!

YERMA. ¡Marchita!

JUAN. Y a vivir en paz. Uno y otro, con suavidad, con agrado. ¡Abrázame! *(La abraza.)*

YERMA. ¿Qué buscas?

JUAN. A ti te busco. Con la luna estás hermosa.

YERMA. Me buscas como cuando te quieres comer una paloma.

JUAN. Bésame... así.

YERMA. Eso nunca. Nunca. *(Yerma da un grito y aprieta la garganta de su Esposo. Éste cae hacia atrás. Yerma le aprieta la garganta hasta matarle. Empieza el Coro de la romería.)* Marchita, marchita, pero segura. Ahora sí que lo sé de cierto. Y sola. *(Se levanta. Empieza a llegar gente.)* Voy a descansar sin despertarme sobresaltada, para ver si la sangre me anuncia otra sangre nueva. Con el cuerpo seco para siempre. ¿Qué queréis saber? No os acerquéis, porque he matado a mi hijo. ¡Yo misma he matado a mi hijo!

*(Acude un grupo que queda parado al fondo.
Se oye el Coro de la romería.)*

Telón

ÍNDICE GENERAL

Biblioteca Federico García Lorca

EDICIÓN Y PRÓLOGOS A CARGO DE MIGUEL GARCÍA-POSADA

ESTE LIBRO HA SIDO IMPRESO
EN LOS TALLERES DE
LITOGRAFIA ROSÉS, S. A.
PROGRÉS, 54-60. GAVÀ (BARCELONA)